U0152456

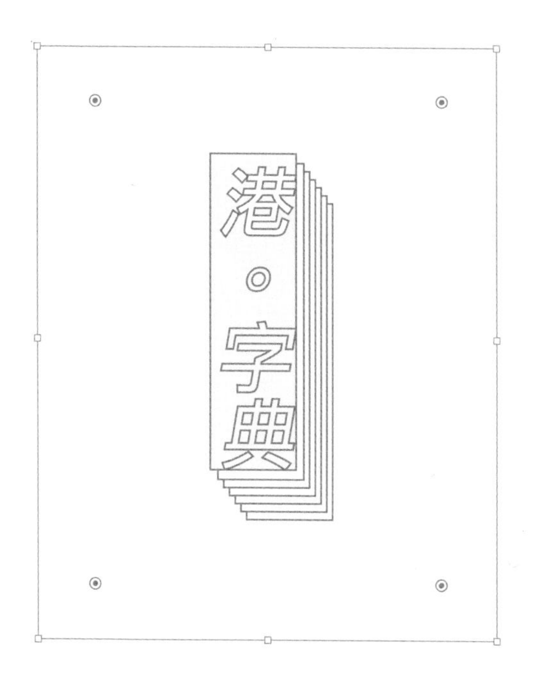
港。字典

《港·字典》

作者：
小編Char

插畫：
Monowhale, Keyman Chan

出版：
陸續出版有限公司
www.underproductionhk.com
電話 :3741-2620
傳真 :3175-3903
香港九龍長沙灣道760號
香港紗廠工業大廈5期4樓C室

封面設計及排版：
三竪 Saamsyu

印刷：
高科技印刷集團有限公司

發行：
聯合書刊物流有限公司

出版日期：
2021年11月第二版

ISBN：
978-988-75840-1-8

定價：
HKD 128.00

Printed and Published in Hong Kong

# 目錄

迴響總編輯

## 山城豬伯

字典，好多書店都有得買，但係有咩人會去買呢？嚟到今時今日，有幾多人會查字典呢？要查都上網查啦，而且通常都係查英文，唔會查中文，更遑論廣東話。但係《港·字典》唔同，如果要推介人買一本字典，我會叫佢買呢本。

講起字典我就諗起細細個學校逼我買嘅嗰本商務辭典，上面記錄住好多中文字，每個詞條都寫住嗰隻字嘅解釋同埋相關嘅詞語。我細個好鍾意睇書，連嗰本字典都由頭到尾睇過一次，仲學識咗唔少詞語。字典畀人嘅感覺好學術，冷冰冰，同文學風馬牛不相及。

但係喺1984年，有位塞爾維亞作家Milorad Pavič寫咗本《Dictionary of the Khazars: A Lexicon Novel》，以百科全書嘅形式寫咗個故事，等讀者自己閱讀每一條條目，再自行拼湊出一個故事。

《港·字典》同《Dictionary of the Khazars》做嘅嘢當然唔一樣啦，但係佢同一般嘅字典更加唔同。一般嘅字典係畀人去查唔識嘅字，而《港·字典》就係畀人去查一啲自己再熟識不過嘅詞語，越熟越好，因為噉先會喺睇嘅時候會心微笑。明明隻詞語唔係噉解嘅，但係睇完個解釋之後你又會覺得好貼切，呢種明明唔妥但係又講唔出嘅幽默感係《港·字典》嘅魅力。

呢種幽默感，我會稱之為「鳩噏」。唔好嫌我粗俗，我實乃不得已而用之，因為實在冇第二隻更好嘅字眼喇。「鳩噏」有分用腦同唔用腦嘅。唔用腦嘅「鳩噏」就喺唔經大腦噉喺唔適當嘅情況講唔適當嘅嘢。用腦嘅「鳩噏」就係經過計算同埋拿捏，恰當好處噉踩界、甚至過界，突破框條，予人別開生面嘅感覺。呢種「鳩噏」係需要創意同埋觀察嘅，因為佢講嘅仍然係事實，只係扭轉咗個角度去詮釋一件事。

所以點解《港·字典》畀人嘅感覺咁唔同。佢唔係一本字典，但係亦都唔係胡鬧玩嘢之下嘅產物。相反，我喺每一頁入面，都感受到作者對生活嘅入微觀察，所以先可以精準噉表達到自己對每一隻詞語嘅感受，令讀者產生共鳴，嘴角不自覺露出微笑。

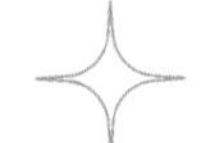

歐陽偉豪

Ben Sir

**一本可以拍埋短片出嚟嘅字典**

一收到《港·字典》喺IG嘅邀請，我第一時間望望佢哋嘅粉絲，嘩，成16萬追蹤者，就咁解字嘅IG account都有咁好成績，唔怪得之可以出埋本書啦。今時今日有實體書出版，真係可喜可賀。

咪傻啦，就咁解字邊有咁多粉絲吖，我就咁去睇本傳統字典好過啦。《港·字典》最鬼馬之處就係將背後/ 聯想意思寫出嚟，而唔係就咁解個字，例如：「哈哈」字面意思：聽見好笑嘢而發出嘅笑聲。背後/聯想意思：「唔好誤會，唔係你講嘢好笑，係我唔畀反應，實在太尷尬」（p. 20）

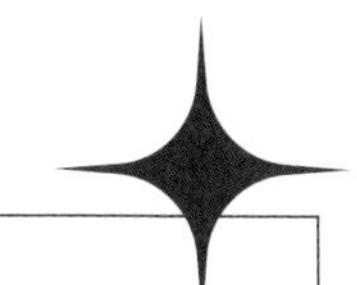

再舉多個例：「珍奶」字面意思：嚟自台灣嘅珍珠奶茶。背後/聯想意思：「生命之水」（p.23）。「生命之水」意思係指香港人日日要飲一杯，唔飲好似過唔到嗰日，直情係生命之水咁。

《港·字典》唔畀字面意思，而直接畀聯想意思，姑勿論你係咪同意個聯想意思，起碼咁樣跳咗一步嘅寫法，比較少見。

咁鬼跳脫將我哋香港人背後所諗嘅意思挖埋出嚟寫，就咁睇已經好有戲。我提議下一個project就將《港·字典》裏面嘅解釋拍埋短片，成為一個短片channel。

好，
出去飲杯珍奶先，
哈哈。

Ben Sir
2020.3.30
於香港天后

特別鳴謝：Johnee vawongsir zaak6naam4 dodolulu so象 捌月插畫 木田東 艾瑪 皮忠 腦力研究所 輸入中 麻甩女子祖 直覺插畫室

# {小編的序}

在修讀哲學的時候，我們經常會透過討論，嘗試去了解一些事物的本質，例如我們會去問：甚麼是道德？甚麼是時間？甚麼是存在？以「時間」為例，當哲學家認為「時間」有一個獨立存在的本質上的意義，並嘗試一步一步探索「時間」的真正形態，就好像一群探險家在不斷尋找一個名為「時間」的寶藏，一步步走近目的地。奧地利哲學家維根斯坦提出這群探險家的一個根本性的問題，就是他們誤以為世界上真的存在了一個「時間」的寶藏，並出發去尋找。

### 一樣本來就唔存在嘅野，你又點會搵到呢？

維根斯坦指出咗我哋思想上嘅一個錯誤，就係我哋嘗試去搵「生命」、「時間」呢啲命題嘅答案，但其實所謂嘅「生命」、「時間」，並唔係真係有呢樣野，佢哋只係一個「字」，一個「詞語」！係人類為咗日常生活溝通，交換訊息所以創造出嚟嘅語言。所以你問「時間」係乜？你只要睇番你平時點「用」呢個字，你就會明，絕非高深莫測。如果你份論文聽日要交，你今日都未做，你會話「冇時間啦」，唔通要理解呢句「冇時間啦」，又要深入研究完「時間」嘅本質，你先會明咩？

語言是一樣生活工具，使用工具往往是為了達成某些目的，語言最大的目的是為了傳遞資訊，只要訊息、感情、思想能夠有效傳遞，字面意義其實並不重要。香港人慣用的廣東話俚語，每天都在日常生活及網絡環境下高速發展，要真正聽得懂就先要理解其「潛台詞」。廣東話把「潛台詞」這部份表現得淋漓盡致，當女孩遇上尷尬時刻，我們會形容她「紅都臉晒」：第一潛，以具象的臉紅代替尷尬；第二潛，已經不明所以地把「臉的紅」代替了「紅的臉」。又例如，當我們要對他人表達強烈不滿，我們會說「食屎啦你」或「去死啦你」，縱然字面上，建議他人尋求自殺和尋求以糞便為主食的一餐，完全是風馬牛不相及的兩個獨立意義，但巧妙地，這兩句正正可以用在同一個情況，來表達同一種感情和思想，例如朋友在約會中遲到了一小時，再提議今天取消活動，你就可以這樣對他說。

### 所以話，「語言在於其用。」

廣東話博大精深，再加上香港人創意無限，到依家已經發展出好多只有本地人先聽得明嘅嘢。呢啲字詞唔同嘅用法，見證咗呢一代香港人嘅文化，呢本《港・字典》入面對字詞嘅翻譯，係筆者透過日常生活同收集大家嘅投稿，再逐一為詞作出最真實且貼地嘅翻譯，作為土生土長香港人嘅你又睇得明幾多呢？

最後，有人問我，為何要一段書面一段白話去寫序呢？若你也萌生了這個問題，不妨感受一下這種語言運用又帶給你一種怎麼樣感覺。

# chap-ter01

# 生活篇（一）

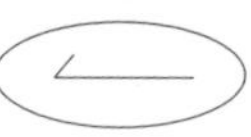

# 弟兄姊妹

[dai6] [hing1] [ji2] [mui6]

信教前

信教後

{名詞}

信咗教嘅兄弟姊妹。

# 沖涼

[chung1] [leung4]

{動詞}

永遠拖住唔想做，
一做就唔想停。

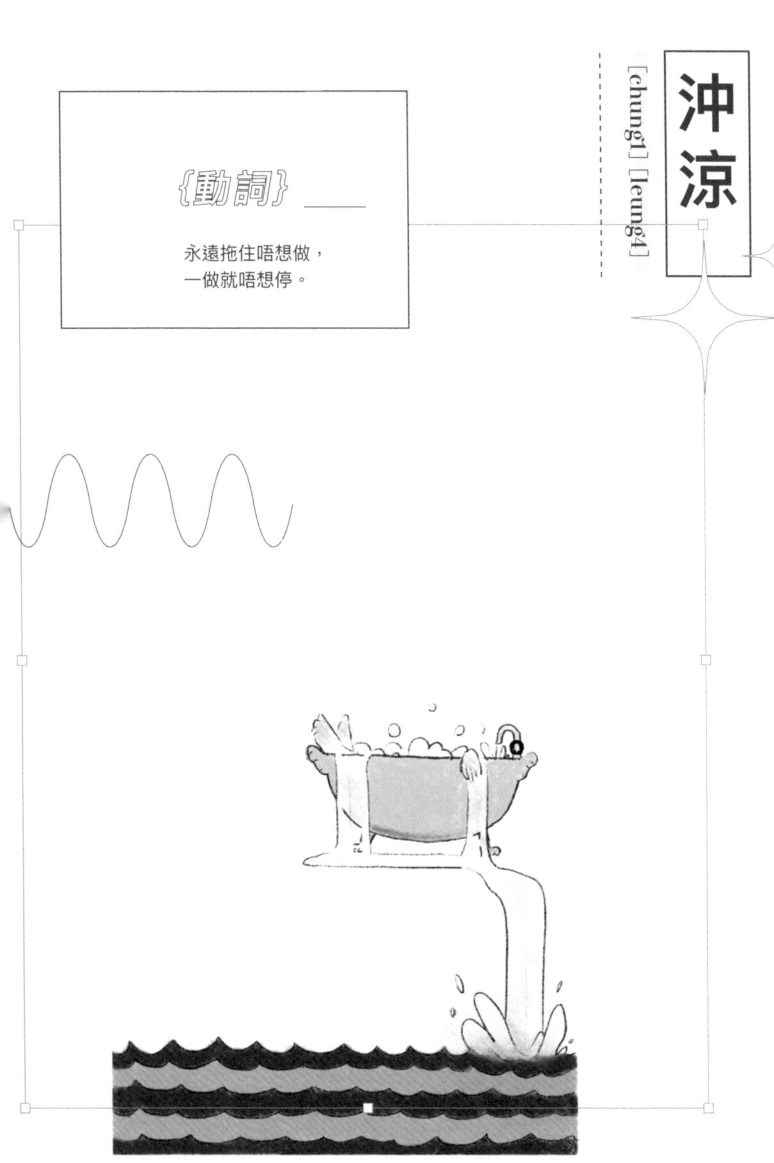

一

# 被單

[pei5] [daan1]

{名詞}

可以令身體暖笠笠，
而凸出嘅腳趾
卻彷如置身寒冬。

# 食飽

[sik6] [baau2]

{形容詞}

係時候食甜品。

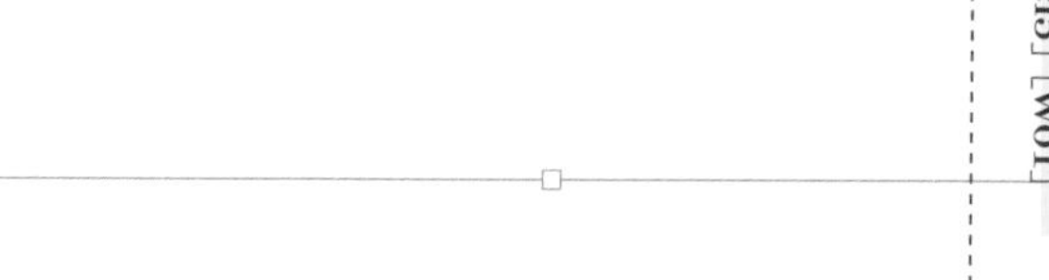

# 被窩

[pei5] [wo1]

{名詞}

一舊強力磁石，
特別喺冬天。

# 啊媽

[a1] [ma1]

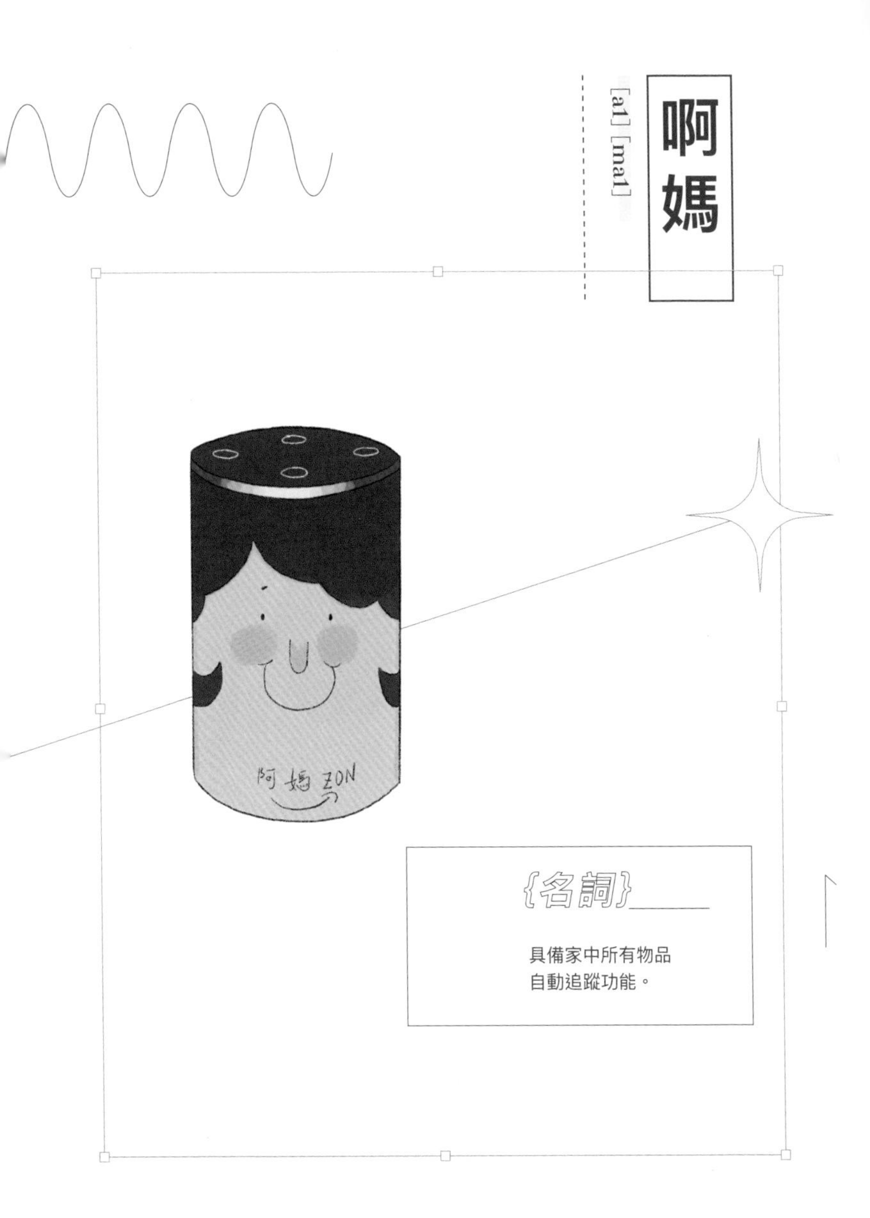


{名詞}

具備家中所有物品
自動追蹤功能。

# 情人節

[ching4] [yan4] [jit3]

{名詞}

請各市民留在家中，
以保護好眼睛，
免受傷害。

# 沙甸魚

[sa1][din1][yu2]

{名詞}

每逢六點鐘會出現喺
金鐘地鐵站嘅生物現象。

# 靚仔

[leng3] [jai2]

{名詞}

通常矮。

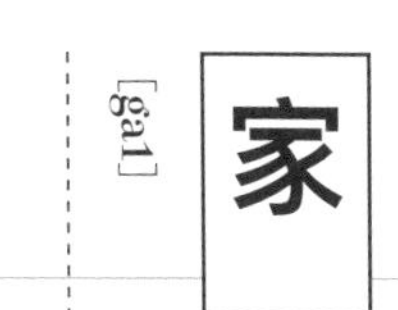

# 家

[gá1]

{名詞}

無論風浪，
總能回去。

# 隨機播放

[cheui4] [gei1] [bo3] [fong3]

{名詞}

永世都唔會播中
我想聽果首。

見習
[gin3] [jaap6]
{名詞}
用扮工嘅時間寫書，
應該寫得出本哈利波特。

# Hi-Bye Friend

{名詞}

撞到都唔敢同佢講太多嘢，
因為驚畀佢發現其實
唔記得佢叫咩名。

# 哈哈

[ha1] [ha1]

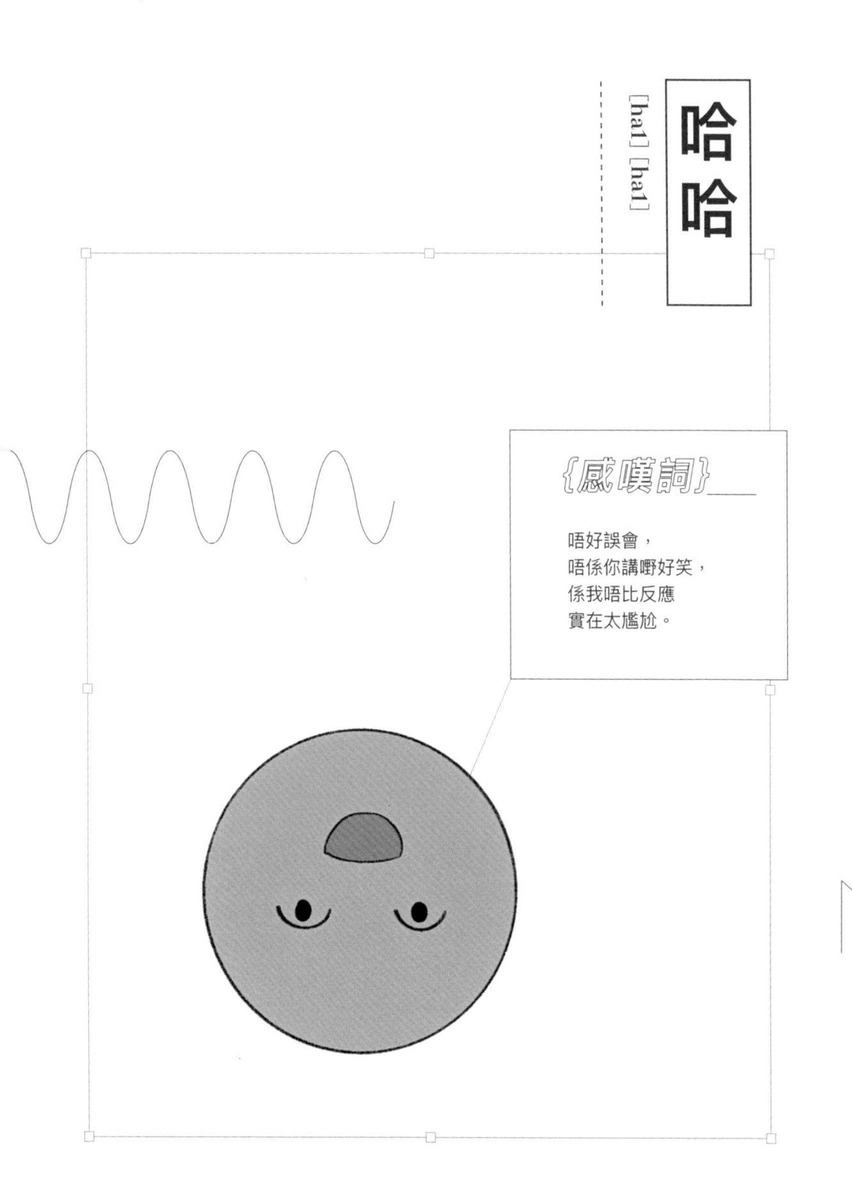

{感嘆詞}

唔好誤會，
唔係你講嘢好笑，
係我唔比反應
實在太尷尬。

# 老奉

[lou5] [fung2]

{動詞}

明明張合約寫明 5 點放工，
老細可以喺 4 點 55 分
放低兩份 report
要求今日做起。

# 廢青

[fai3] [ching1]

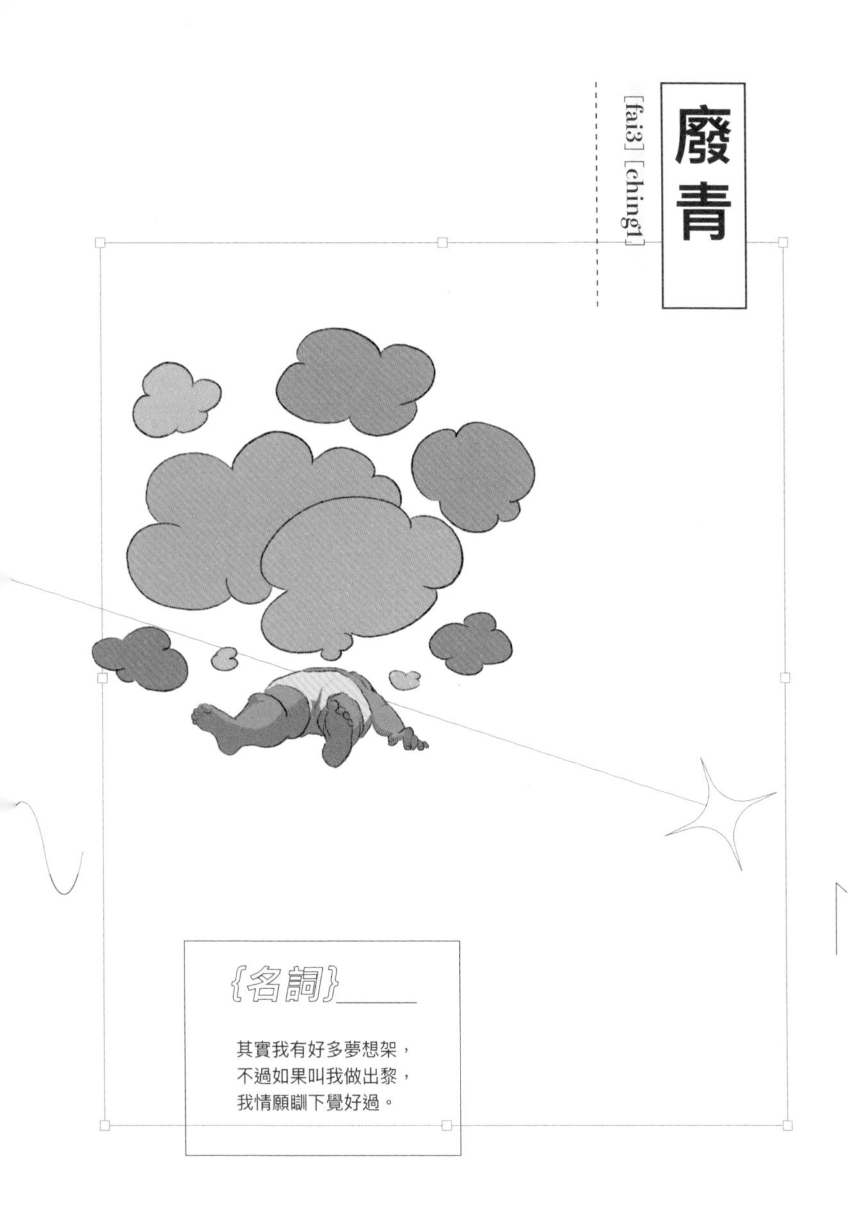

{名詞}

其實我有好多夢想架，
不過如果叫我做出黎，
我情願瞓下覺好過。

# 珍奶

[jan1] [naai5]

{名詞}

生命之水。

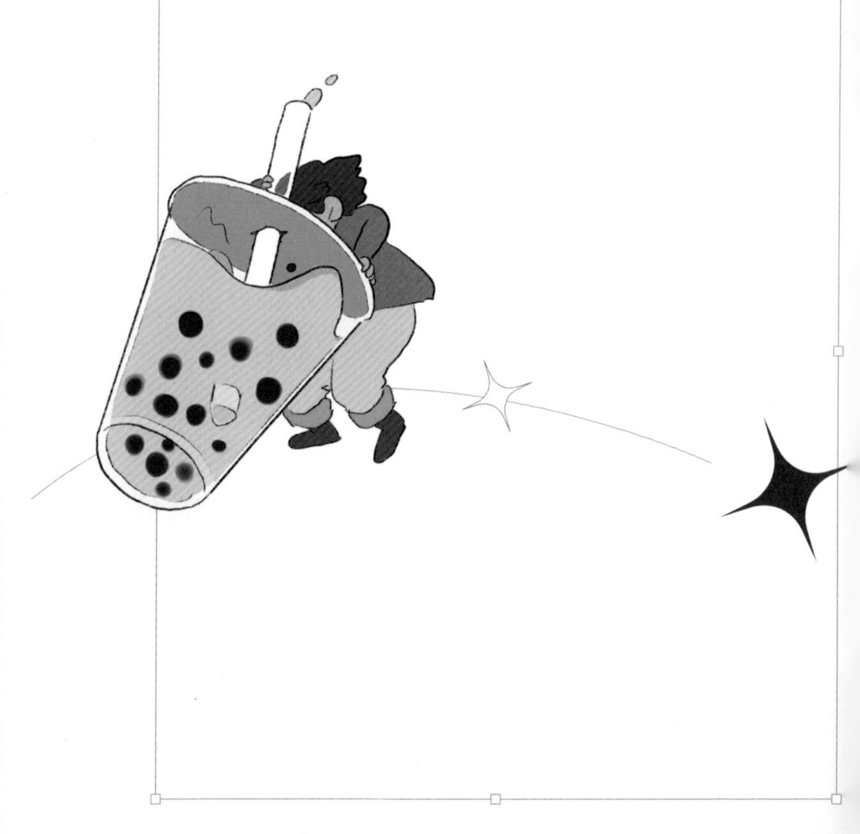

# 女校生

[neui5] [haau6] [saang1]

{名詞}

著裙嘅男人。

# 男校生

[naam4] [haau6] [saang1]

{名詞}

身邊總有幾個，
你會忍唔住
懷疑佢嘅性取向。

# 除夕

[cheui4] [jik6]

{名詞}

年年都話除夕先執房，
一到除夕就發現，
啲嘢亂到連一個櫃桶
都執唔到。

一

# 一分鐘

[yat1] [fan1] [jung1]

{名詞}

...後放工，就真係一分鐘
...後到站，請等多十分鐘
...後打完機，起碼半個鐘
...後打番比你，咁就一世

# 攬炒

[laam5] [chaau2]

我唔要你比番粒魚蛋我，
我要佢都冇魚蛋食！

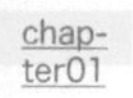


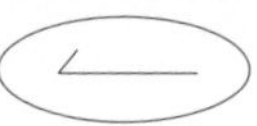

# 可靠消息

[ho2] [kaau3] [siu1] [sik1]

{名詞}

喺講嘢之前加番句
「已 Fact Check」。

# 退稅

[teui3] [seui3]

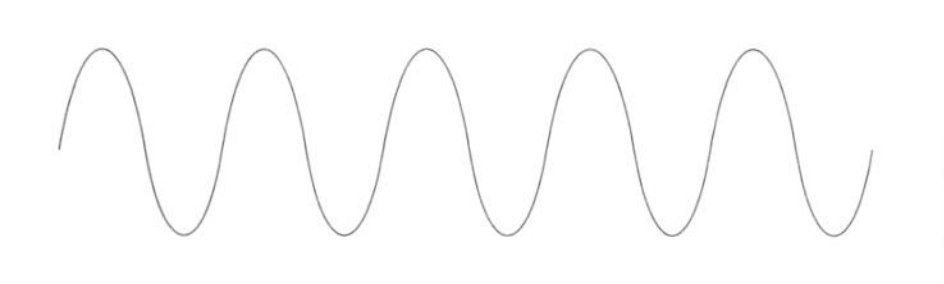

{名詞}

拎走本來係你嘅嘢，
再比番你，等你開心下。

# 潮流

[chiu4] [lau4]

{名詞}

抄翻熱三十年前興嘅嘢。

# 丸子頭

[yun2] [ji2] [tau4]

{名詞}

一個可以掩飾到自己冇洗頭嘅髮型。

# 收線

[sau1] [sin3]

{名詞}

經常因為做唔到呢樣嘢，
導致原本十分鐘嘅對話
變左三粒鐘。

# 另類已讀

[ling6] [leui6] [yi5] [duk6]

{名詞}

Instagram chat
撳心心 like
你個 message
當覆咗。

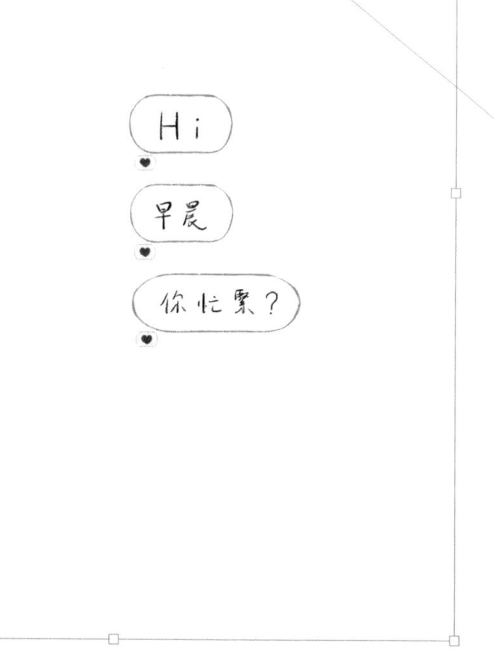

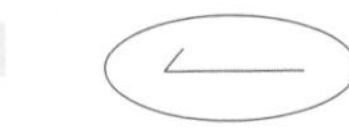

# 八達通

[baat3] [daat6] [tung1]

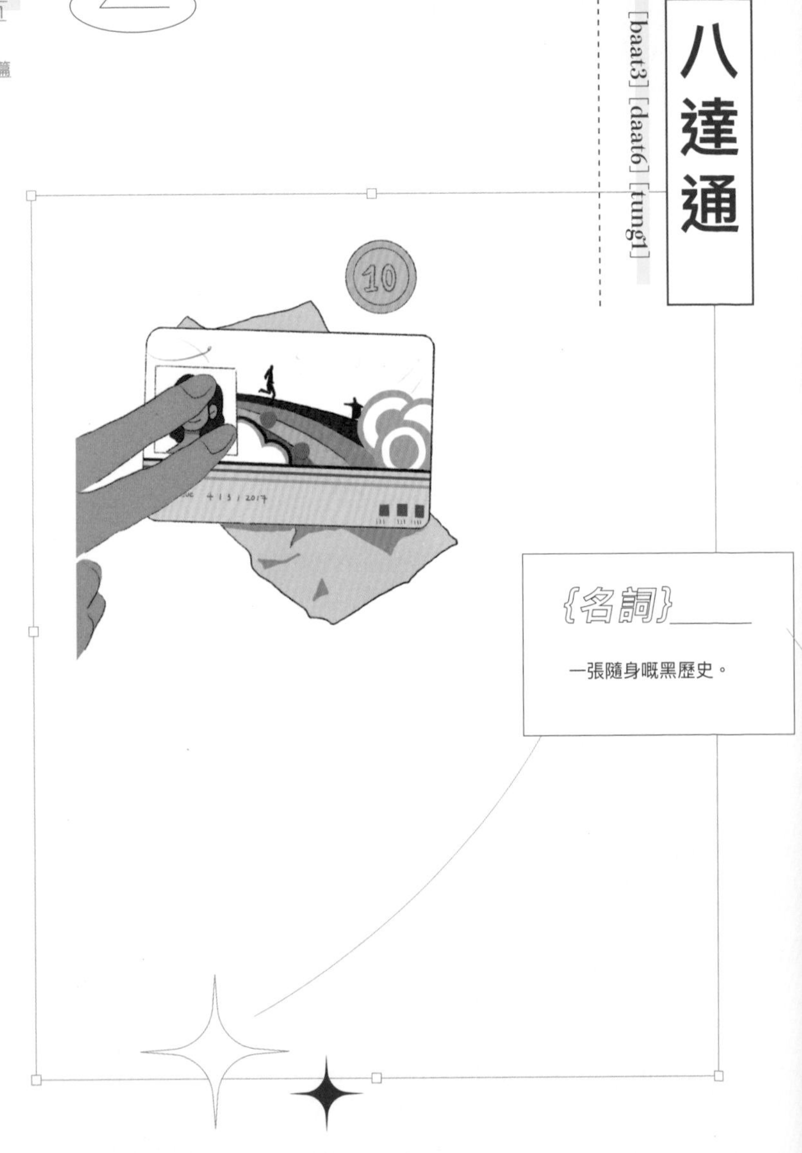

{名詞}

一張隨身嘅黑歷史。

# 日夜顛倒

[yat6] [ye6] [din1] [dou2]

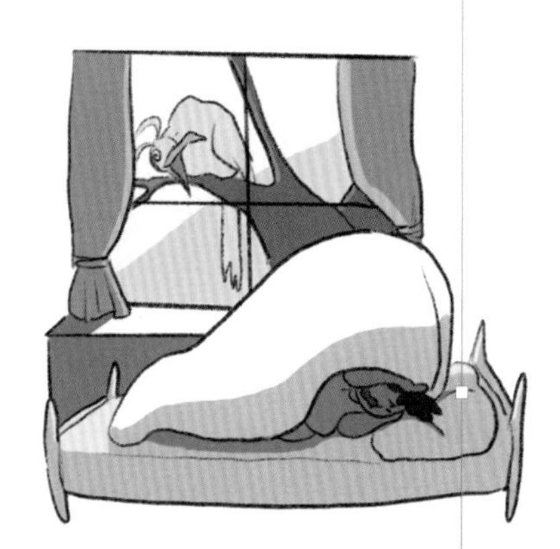

{名詞}

當你發現你開始
因為啲雀仔喺度叫，
嘈到你瞓唔到覺。

# 本末倒置

[bun2] [mut6] [dou2] [ji3]

{名詞}

執屋果陣，用半個鐘
搵咗一堆想扔嘅垃圾出黎，
再用全日逐一研究下
每一件有咩用。

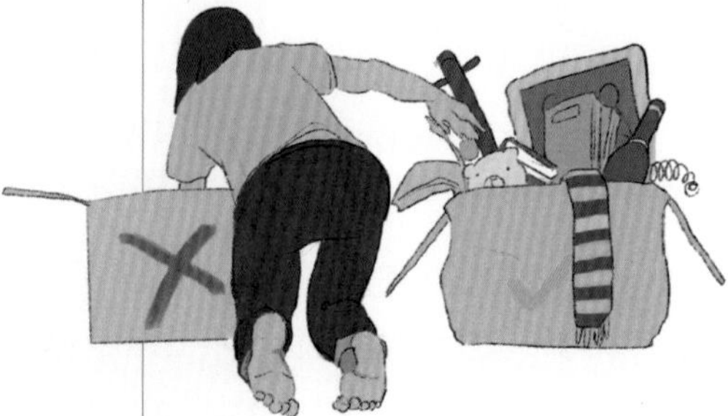

# 瑜伽墊

[yu4] [ga1] [jin3]

{名詞}

買果陣諗住從此就
會開始日日做運動；
當你再回想番自己曾經
有呢個咁天真嘅諗法果日，
已經係將張墊當係
垃圾咁揼果陣。

# 海灘

[hoi2] [taan1]

冬

夏

{名詞}

夏天要操 fit 嘅原因。

# 極簡主義

[gik6] [gaan2] [jyu2] [yi6]

{名詞}

等你可以清空屋企，
再狂買番一堆新嘢嘅主義。

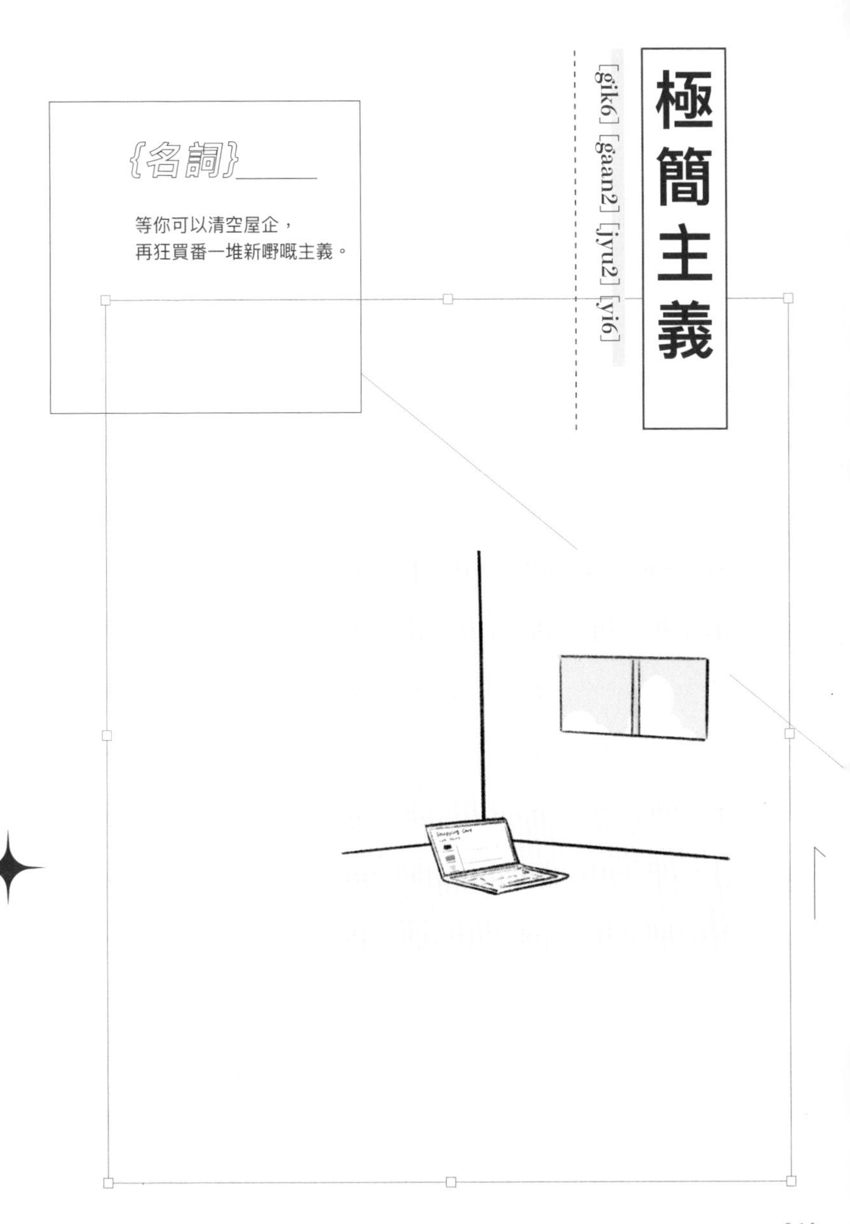

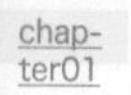

# 不公開帳戶

[bat1] [gung1] [hoi1] [jeung3] [wu6]



{名詞}

追蹤者名單係真正嘅
死黨中嘅死黨。

# 肥底

[fei4] [dai2]

{名詞}

唔明點解淨係飲水
都可以轉化成脂肪。

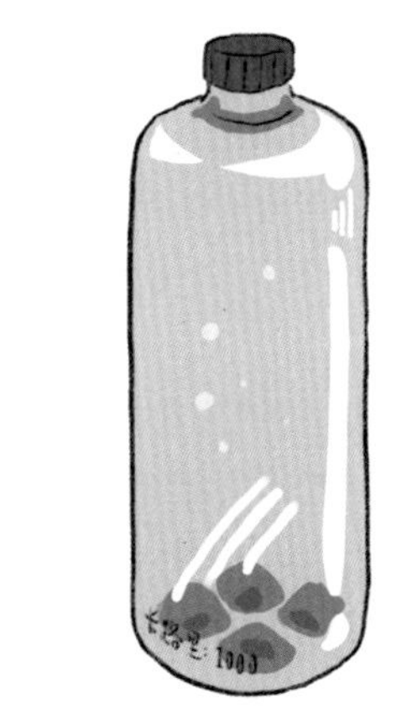

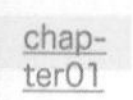

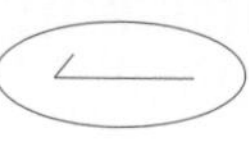

# 件衫好靚

[gin6] [saam1] [hou2] [leng3]

{形容詞}

查實係個人靚，
著乜都咁靚。

# 唔好嘈

[m4] [hou2] [chou4]

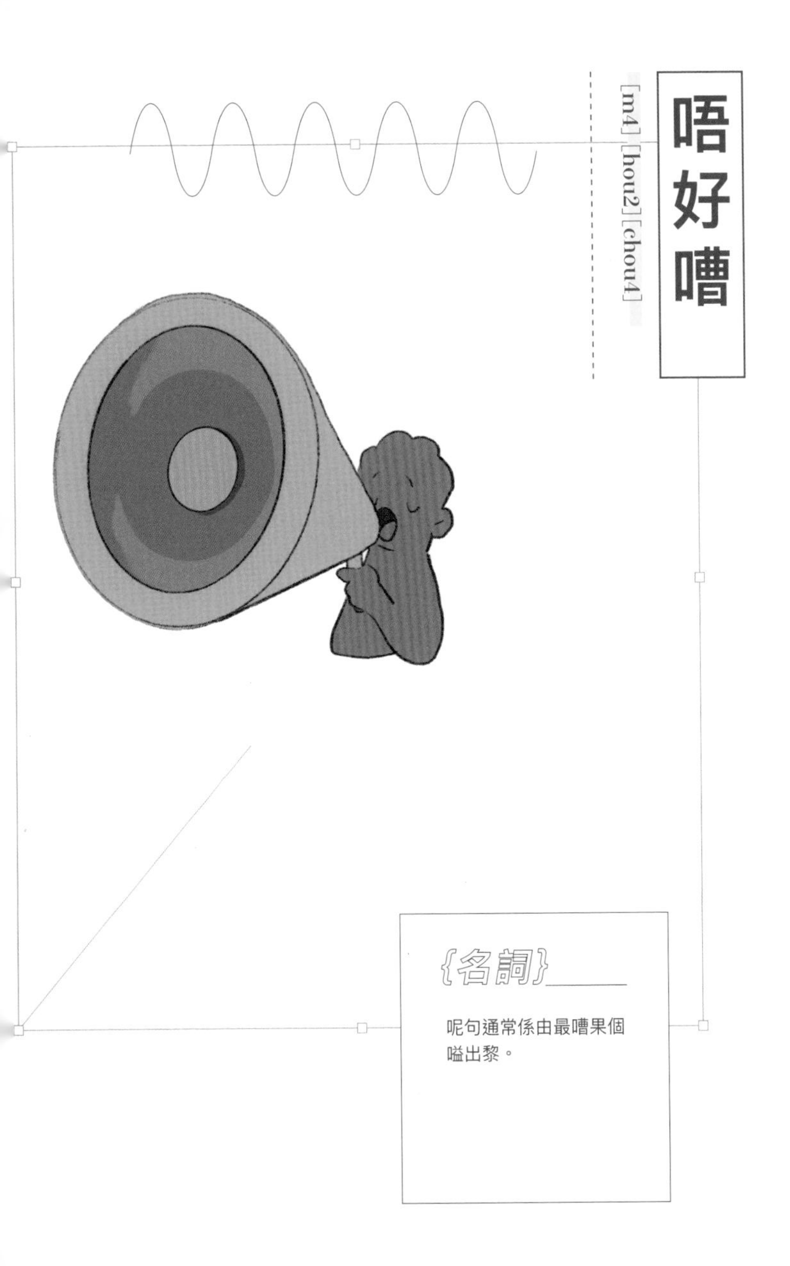

{名詞}

呢句通常係由最嘈果個
嗌出黎。

# 等結果

[dang2] [git3] [gwo2]

{名詞}

同表白一樣，
最辛苦唔係
最後知道自己衰咗，
而係一直喺度等
個心囉囉攣嘅呢段時間。

# 早唞

[jou2] [tau2]

{片語}

開始進入專心
玩手機模式。

# 打工

[da2] [gung1]

{動詞}

有時真係搵命搏。

# 抽氣扇

[chau1] [hei3] [sin3]

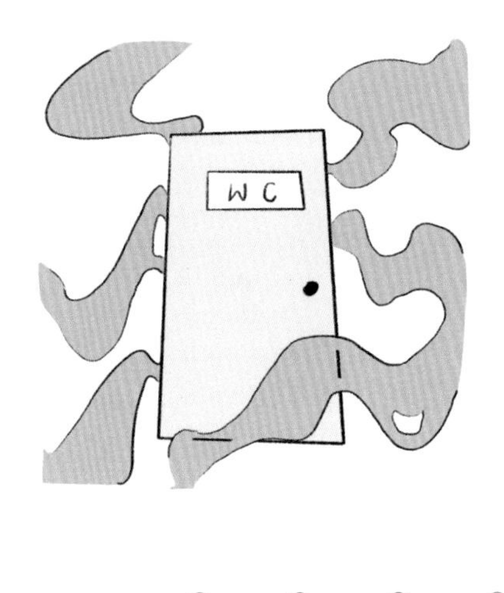


{名詞}

當你去去下廁所，
出面突然有人幫你
開咗抽氣扇，
代表啲臭氣
已經傳遍成間屋。

一

# 眼神防守

[ngaan5] [san4] [fong4] [sau2]

{動詞}

打防守嘅最高境界，
對手見你唔郁，
有機會畀你震懾，
唔敢輕舉妄動。

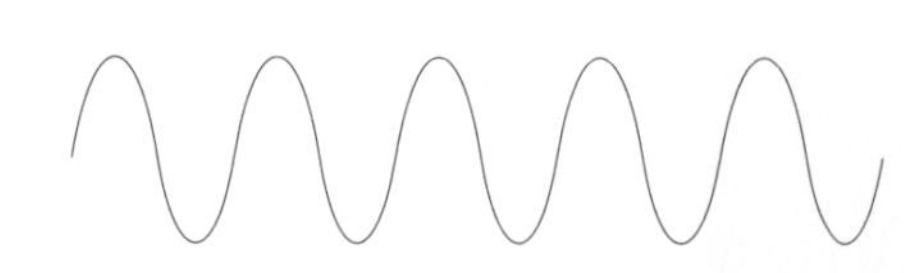

# chapter01

# 生活篇（一）

chap-
ter01
生活篇
(二)
好肥
[hou2] [fei4]
—我係咪肥左呀?
{形容詞}
我知我唔肥，
我要你話我瘦。

# 屋企衫

[uk1] [kei2] [saam1]

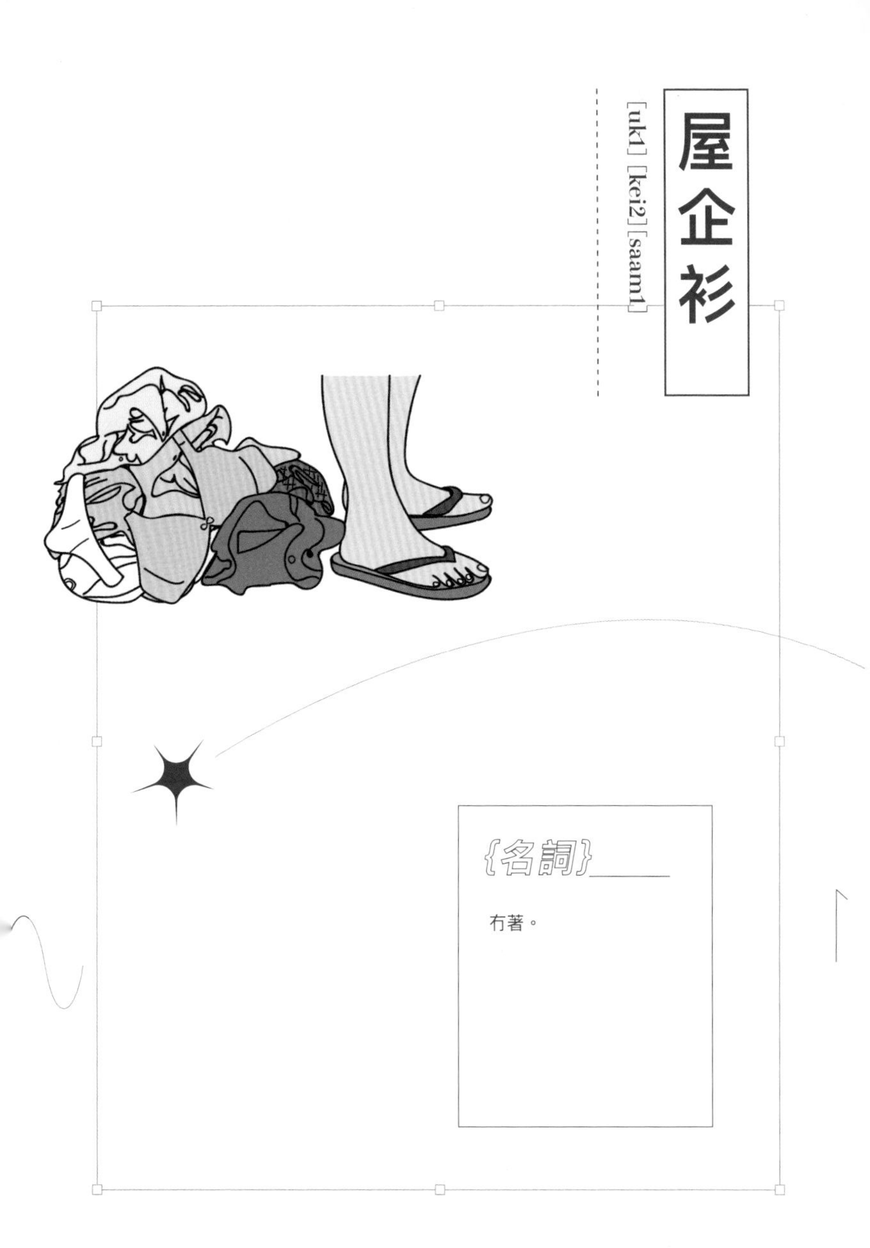

{名詞}

冇著。

# 佢係咁

[keoi5] [hai6] [gam2]

{形容詞}

醫番都唯藥費。

# 垃圾

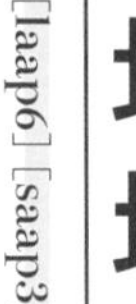

[laap6] [saap3]

{動詞}

買咗返嚟十年都冇用過，
一扔咗之後幾日
就突然發現需要用。

一

# 八號風球

[baat3] [hou6] [fung1] [kau4]

{名詞}

只會出現喺星期六日
嘅天文現象。

# 死黨

[sei2] [dong2]

{名詞}

如果你做咗美國總統，
你嘅黑材料
夠佢寫一本暢銷書。

# 減肥

[gaam2] [fei4]

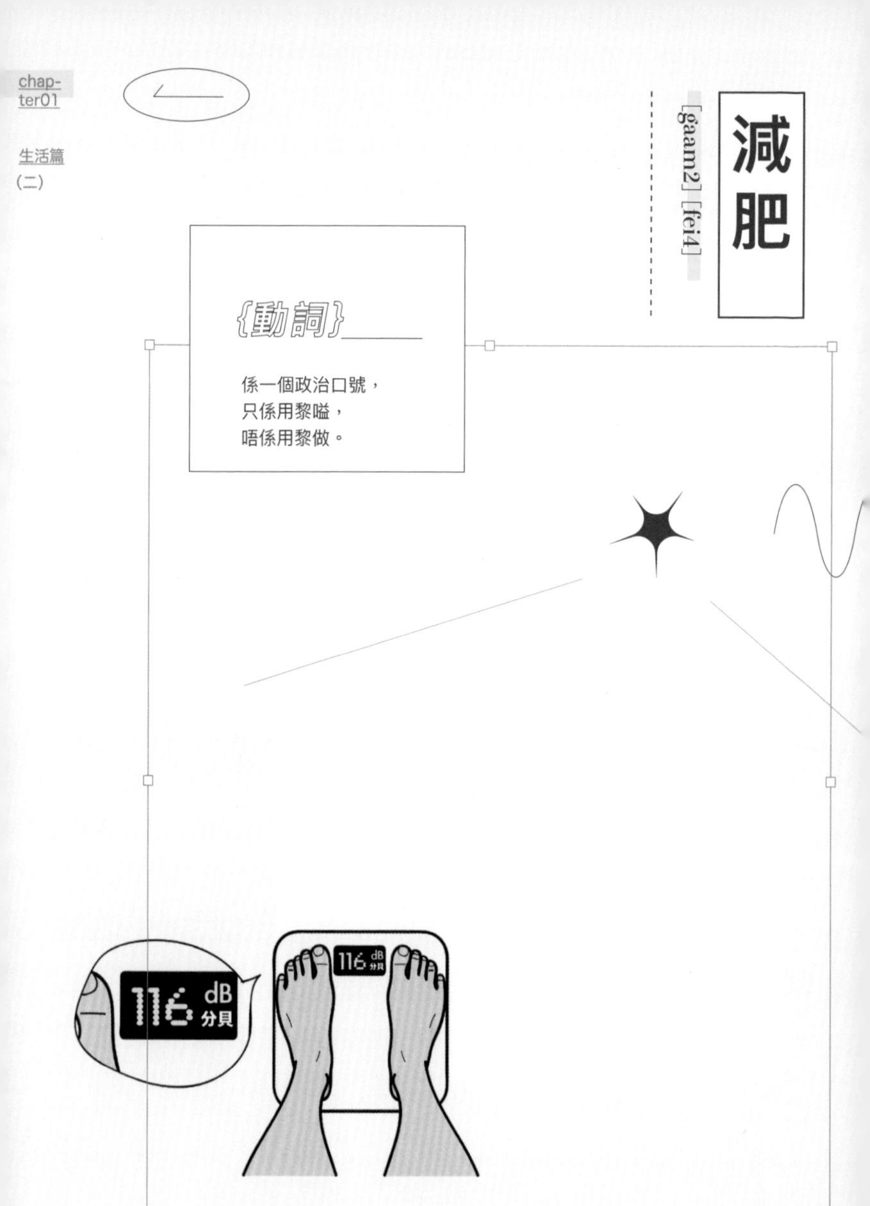


{動詞}

係一個政治口號，
只係用黎嗌，
唔係用黎做。

# 狗公

[gau2] [gung1]

{名詞}

狗衝九次失敗後，
扮晒死狗都會繼續衝。

# 準備沖涼

[jeun2] [bei6] [chung1] [leung4]

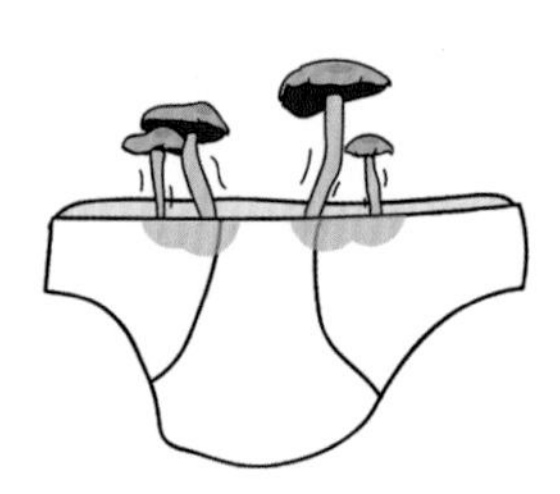

{動詞}

拎咗條底褲出嚟，
然後不明地浪費咗兩個鐘。

# 生理時鐘

[sang1] [lei5] [si4] [jung1]

{名詞}

永遠都調校唔到嘅鐘。

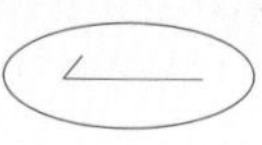

# 瘦底

[sau3] [dai2]

{形容詞}

有啲嘢唔係你就唔係你，
咪再食啦。

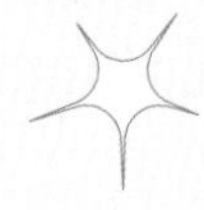

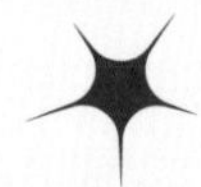

# 呃蝦條

[aak1] [ha1] [tiu4]

{動詞}

唔信教又入教會，
為咗呃聖誕聚餐
嘅免費蝦條。

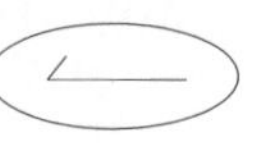

# 窮

[kung4]

{形容詞}

年青人發憤圖強，
努力向上嘅主要原因。

# 李氏力場

[lei5] [si6] [lik6] [cheung4]

{名詞}

香港科研嘅最高成果，
有效捍衛全城打工仔
返工嘅權利。

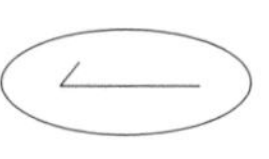

# 準時

[jeun2] [si4]

{形容詞}

一個心理戰，
只要遲到遲得恰到好處，
當人人遲一個鐘，
你只係遲五十九分鐘，
你就係準時到果個。

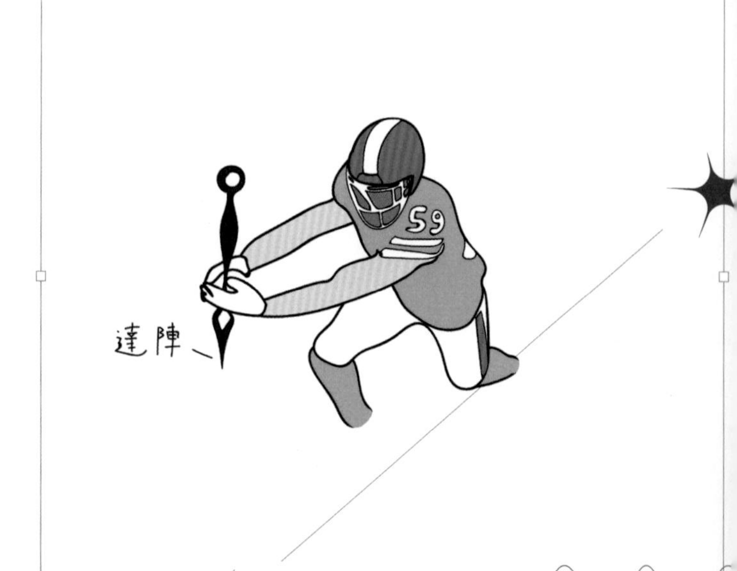

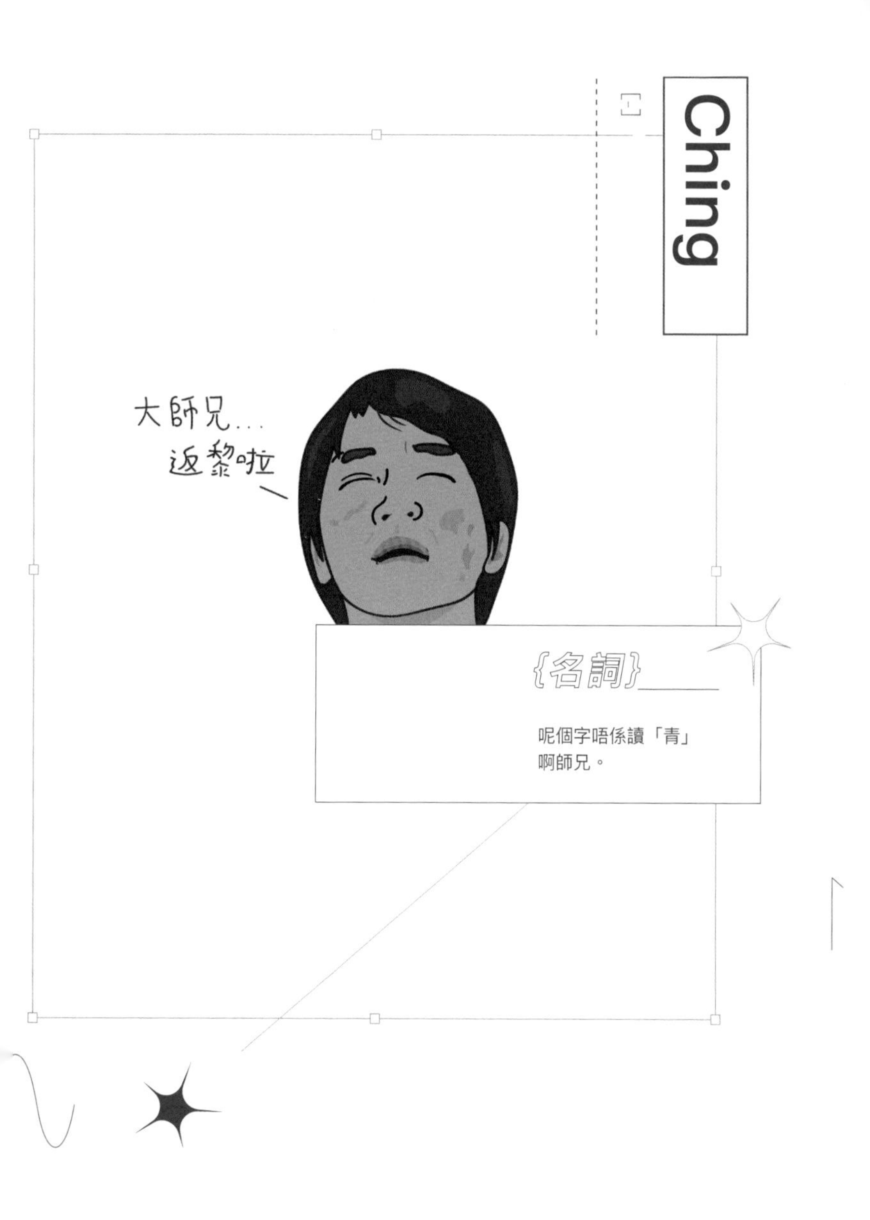
Ching
大師兄...
返黎啦
{名詞}
呢個字唔係讀「青」
啊師兄。

# 得閒飲茶

[dak1] [haan4] [yam2] [cha4]

{片語}

我呢一生都唔會再得閒，
就算真係得閒都唔會約你，
就算約你都唔會真係飲茶。

# 炮友

[paau3] [yau5]

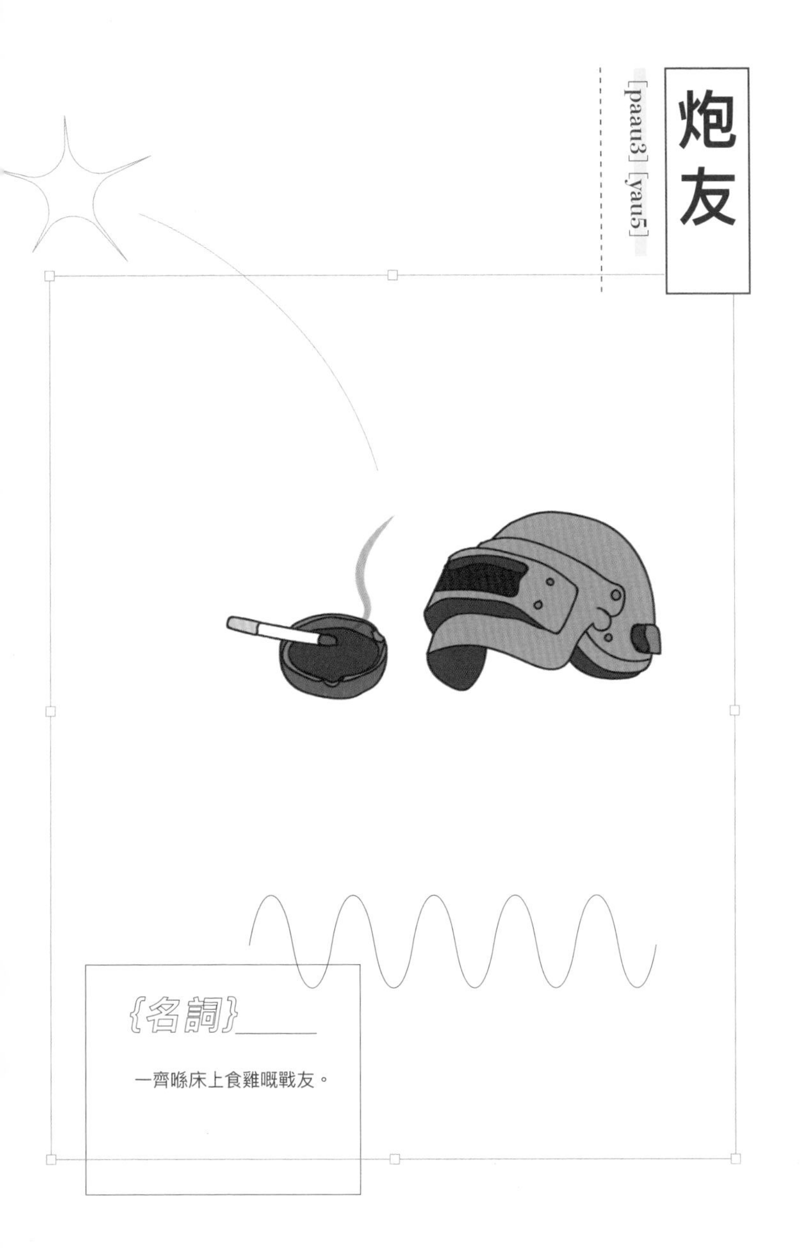

{名詞}

一齊喺床上食雞嘅戰友。

# 下個站到

[ha6] [go3] [jaam6] [dou3]

下個站到

昨天

仲差一個站

{片語}

又冇講明到邊。

# 扮工

[baan6] [gung1]

{動詞}

老細房個 mon 唔對住門口嘅原因。

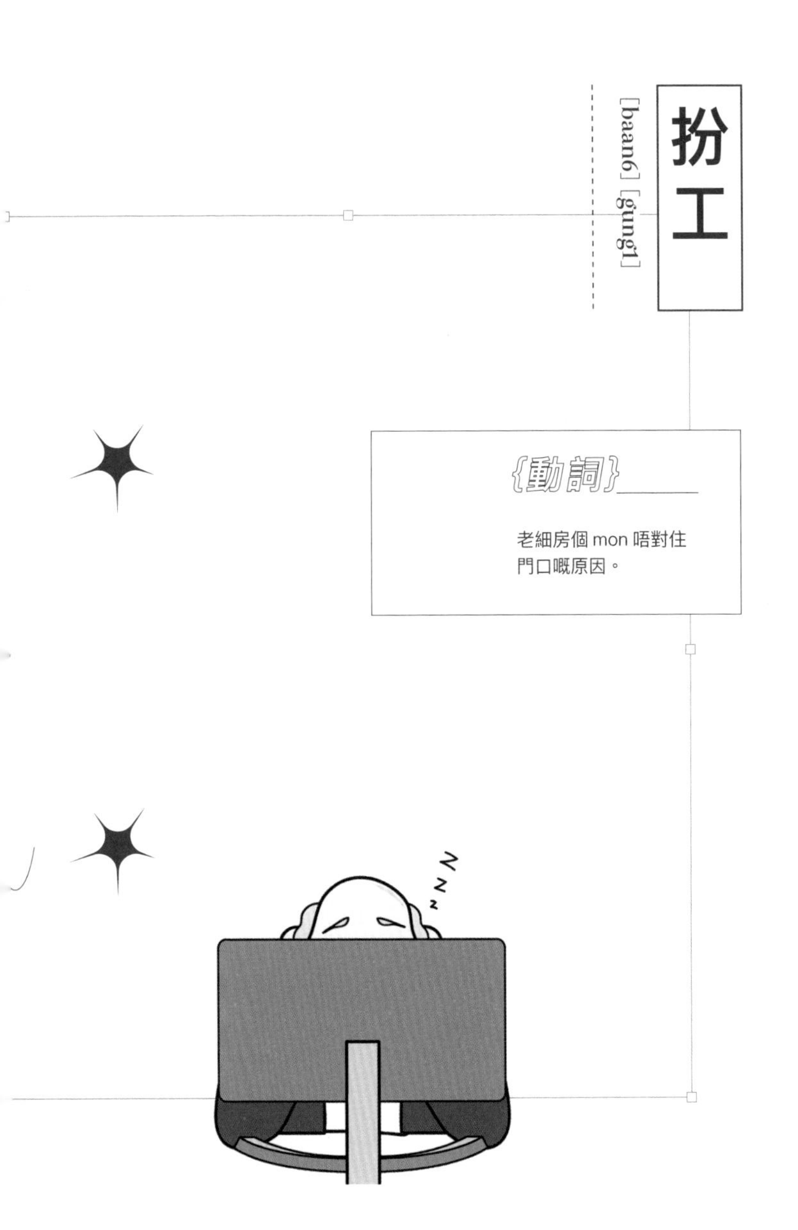

# 冇所謂啦

[mou5] [so2] [wai6] [la1]

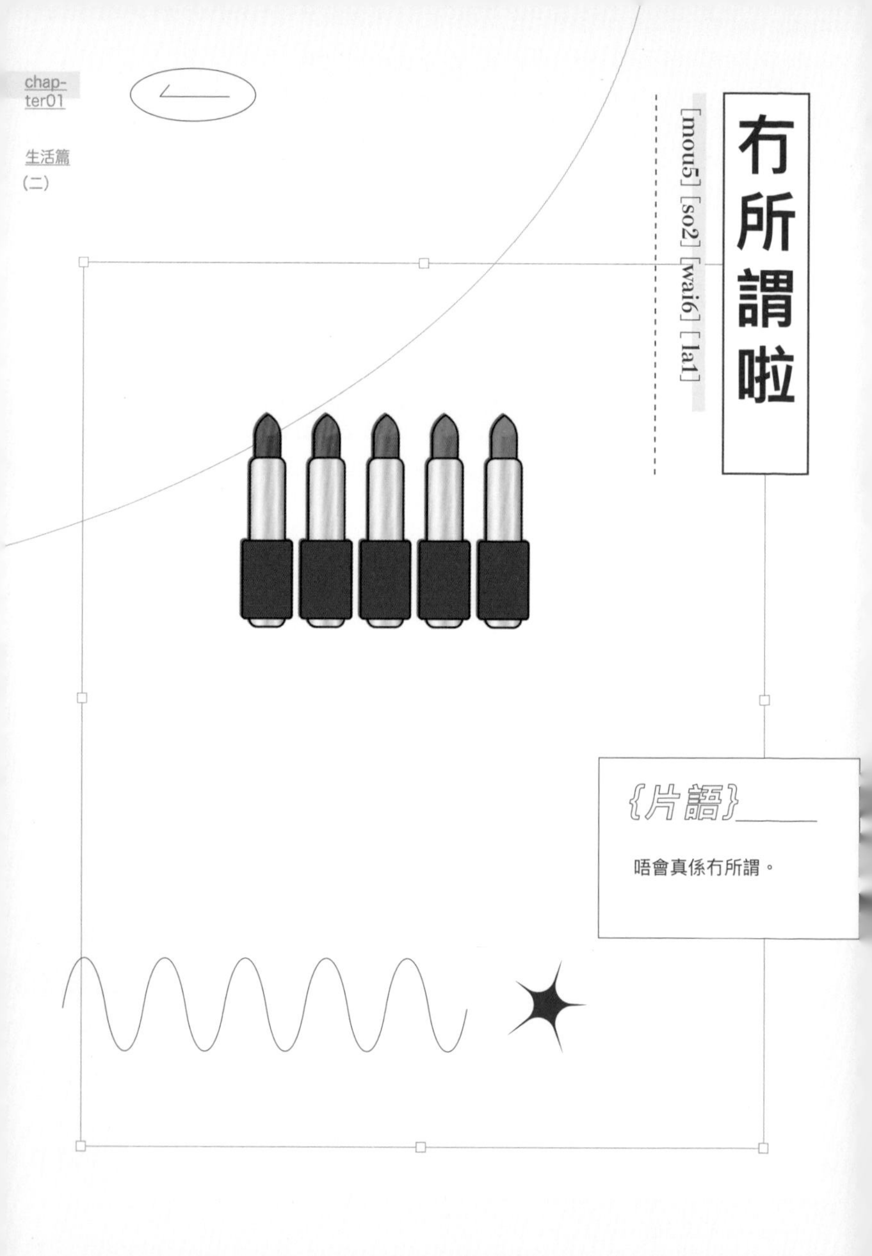

{片語}

唔會真係冇所謂。

# 真兄弟

[jan1] [hing1] [dai6]

{名詞}

知你決定咗去食屎，
就開始幫你研究
邊一款易入口啲。

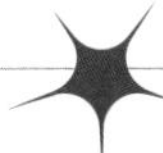

# 轉彎有落

[jyun3] [waan1] [yau5] [lok6]

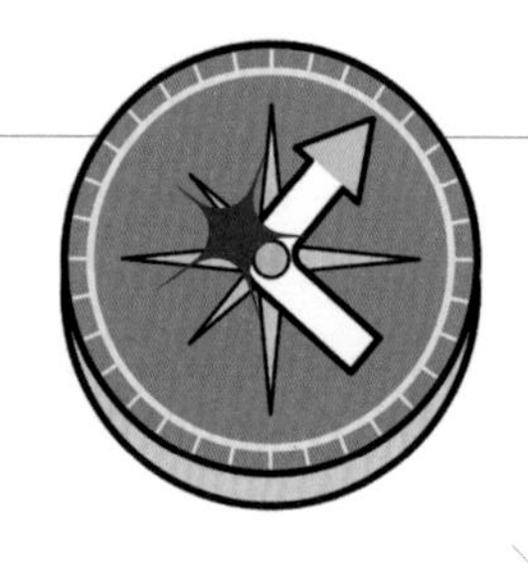

{片語}

喺小巴上最型嘅一句，
將你對地型嘅了解
表現得淋漓盡致。

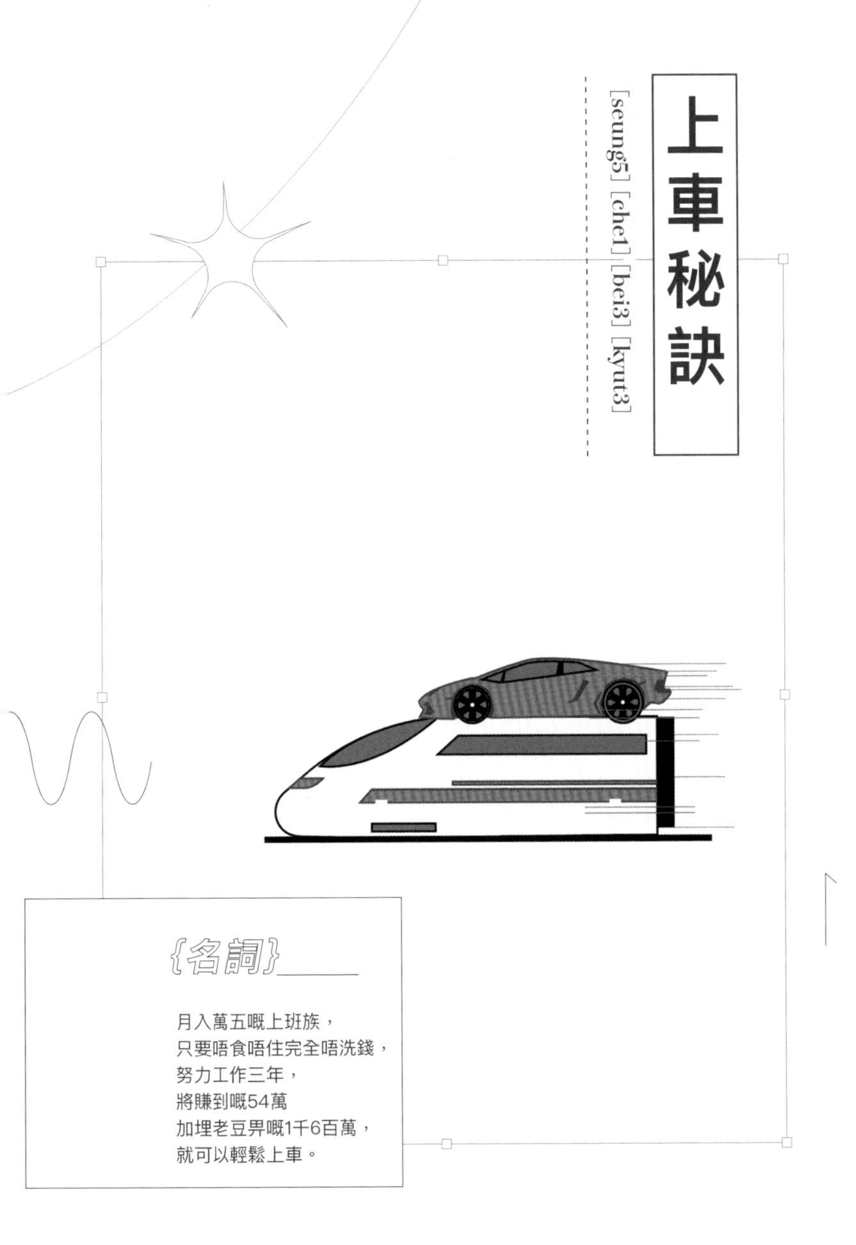

# 上車秘訣

[seung5] [che1] [bei3] [kyut3]

{名詞}

月入萬五嘅上班族，
只要唔食唔住完全唔洗錢，
努力工作三年，
將賺到嘅54萬
加埋老豆畀嘅1千6百萬，
就可以輕鬆上車。

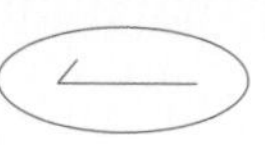

# 拜年

[baai3] [nin4]

{名詞}

入唔到 U，出唔到 pool，
搵唔到工嘅人士最驚嘅事。

# 平安夜

[ping4] [on1] [ye6]

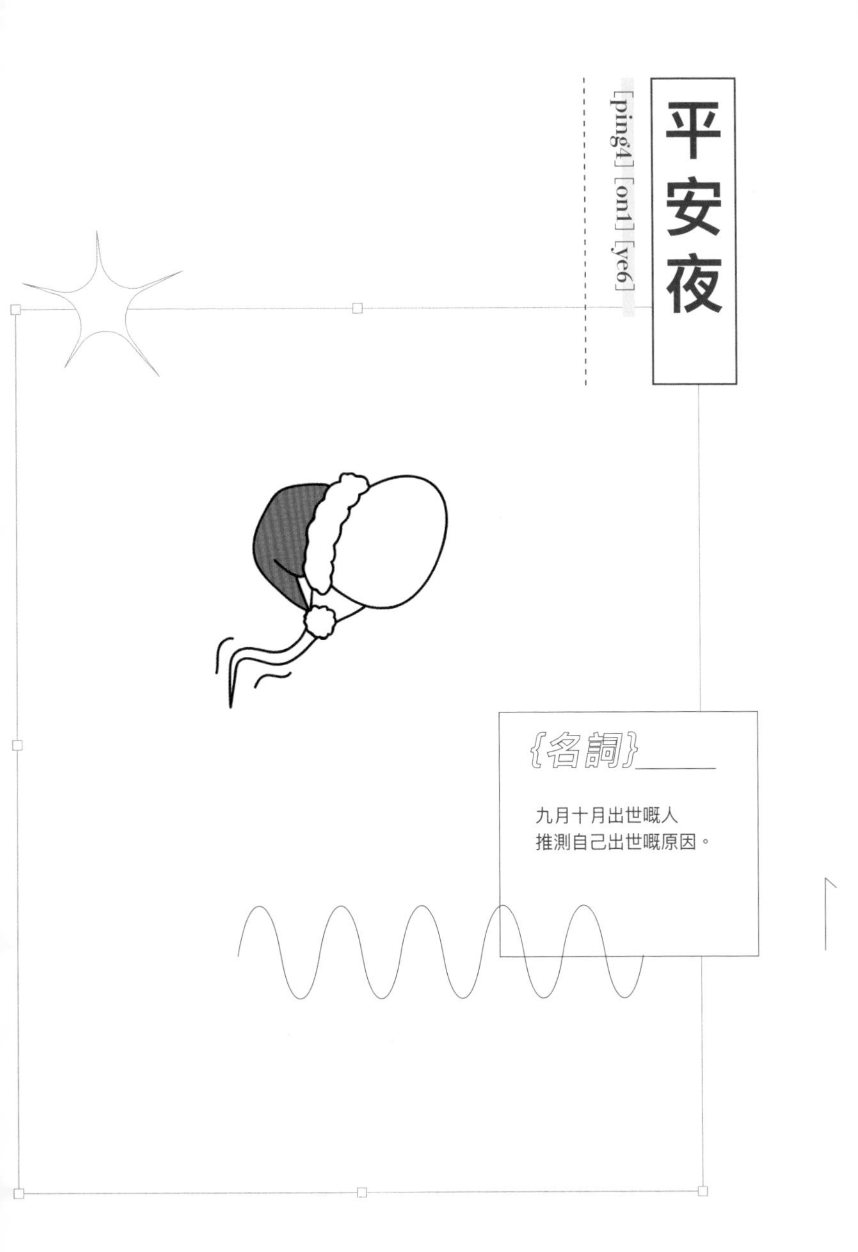

{名詞}

九月十月出世嘅人
推測自己出世嘅原因。

# 頂你個肺

[ding2] [nei5] [go3] [fai3]

{動詞}

對付肺炎帶菌者嘅方法。

# 初一

[cho1] [yat1]

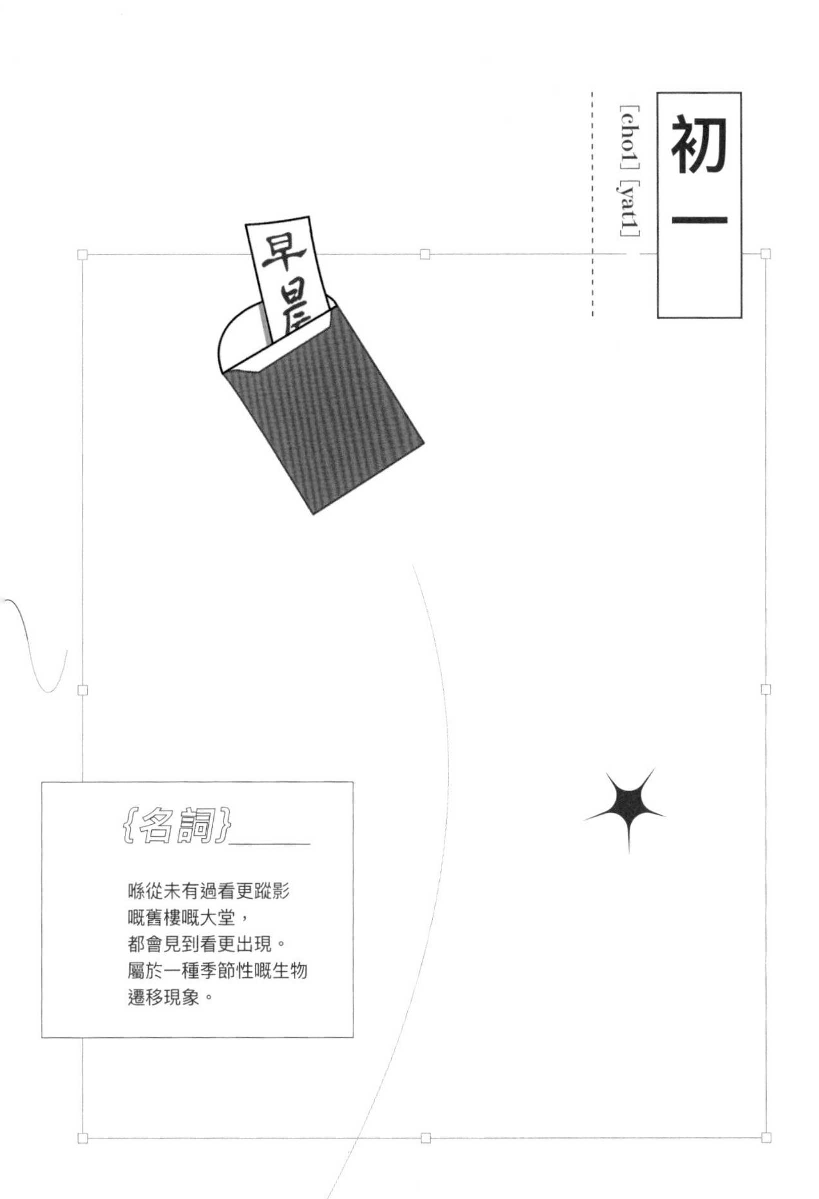


{名詞}

喺從未有過看更蹤影
嘅舊樓嘅大堂，
都會見到看更出現。
屬於一種季節性嘅生物
遷移現象。

# 廢老

[fai3] [lou5]

{名詞}

唔關年紀事，係一種
可以望住諸多社會事件，
亦能無動於衷嘅心態。

# 隨便

[cheui4] [bin2]

{形容詞}

我唔想諗，但麻煩你
諗好一樣我滿意嘅。

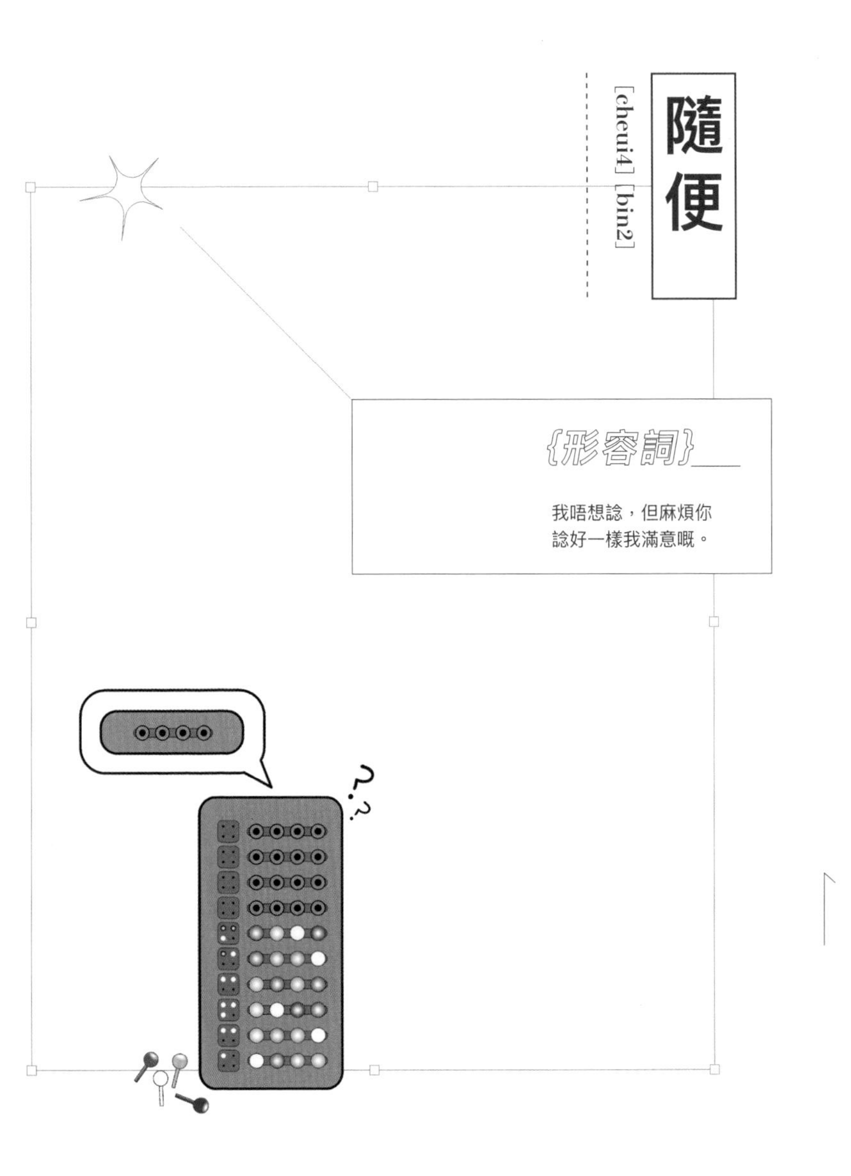

# 男生四階段

[naam4] [sang1] [sei3] [gaai1] [dyun6]

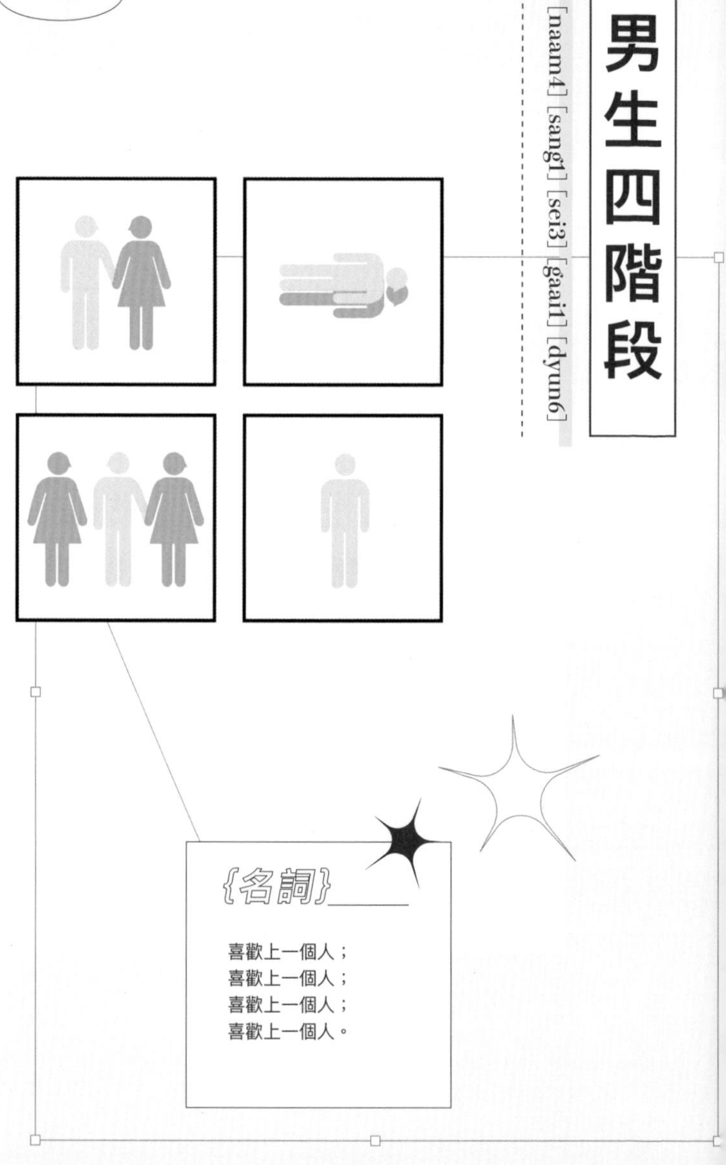

{名詞}

喜歡上一個人；
喜歡上一個人；
喜歡上一個人；
喜歡上一個人。

推
[teui1]

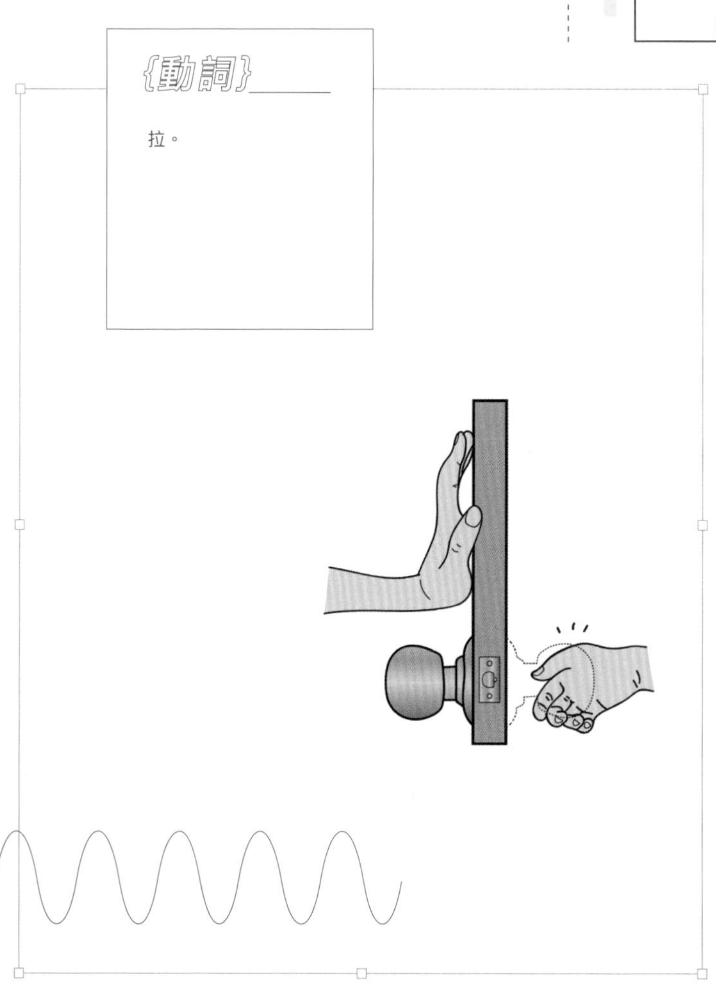
{動詞}
拉。

一

# 最強投資策略

[jeui3] [keung4] [tau4] [ji1] [chaak3] [leuk6]

{名詞}

升，唔放；跌，唔放。

# 課金

[fo3] [gam1]

{動詞}

用真錢買假錢。

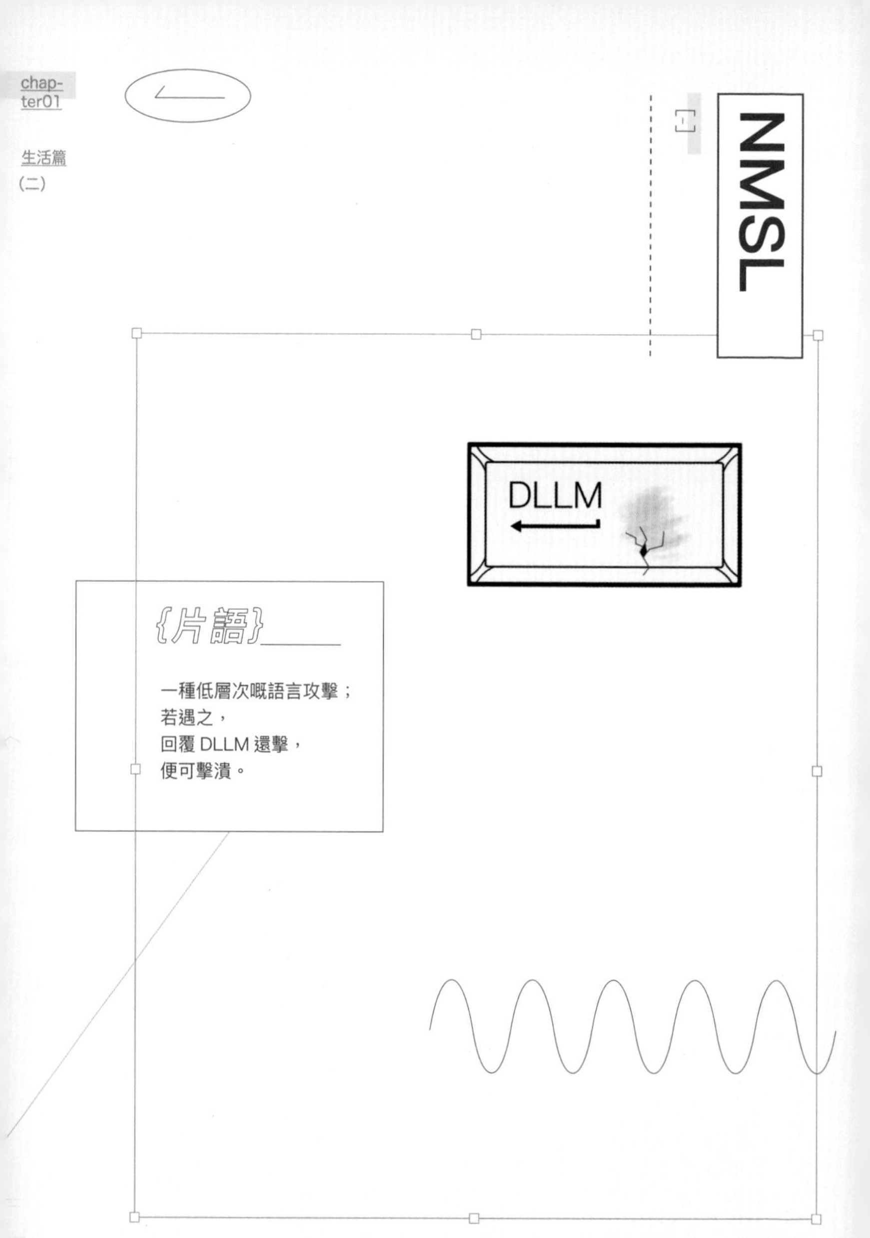


{片語}

一種低層次嘅語言攻擊；
若遇之，
回覆 DLLM 還擊，
便可擊潰。

# 無痕瀏覽

[mou4] [han4] [lau4] [laam5]

{名詞}

為咗慳番刪瀏覽記錄
嘅時間，卻時常因為咁
丟失咗寶貴嘅網頁
或想珍藏嘅影片。

# 唔好講出去

[m4] [hou2] [gong2] [cheut1] [heui3]

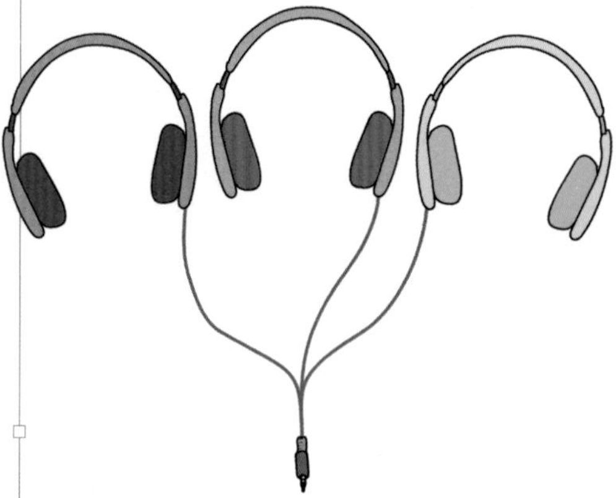

{片語}

講畀其他人聽，同時
要唔畀你知我講咗出去。

# 大合照

[daai6] [hap6] [jiu3]

{名詞}

高嘅企前面，
更高嘅企後面。

# 誇誇群

[kwa1] [kwa1] [kwan4]

{名詞}

當有個靚女突然入咗
一班兄弟嘅 Whatsapp 群。

# 心態爆炸

[sam1] [taai3] [baau3] [ja3]

{形容詞}

上單壓爆對手之際，
隊友中野聯動去上路，
三人黎個大圍捕入塔殺，
最後卻反送三個頭畀對手。

二

# 小財唔出

[siu2] [choi4] [m4] [cheut1]

{歇後語}

大財點出。

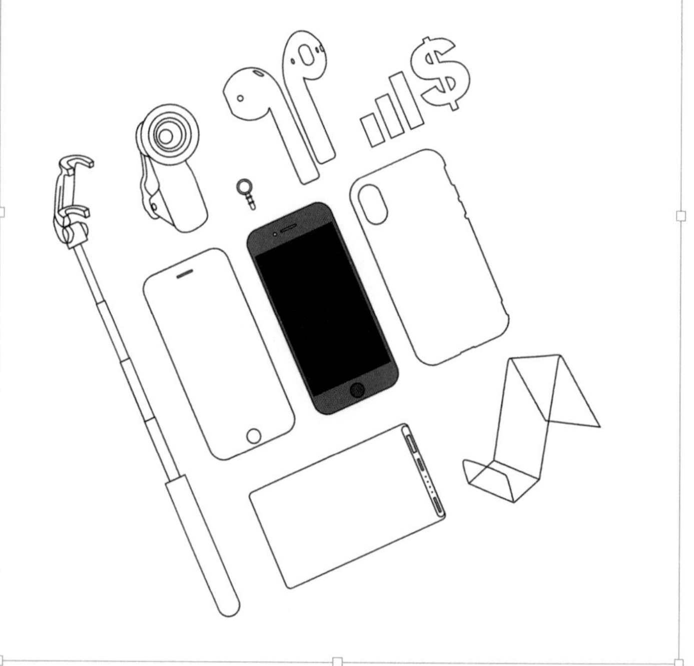

# 背多分

[bui3] [do1] [fan1]

{形容詞}

形容違反商品及
說明條例嘅人。

背

正

# chapter02

# 戀愛篇

# 尷尬

[gaam3] [gaai3]

{形容詞}

你暗戀對象問你
鍾意邊個。

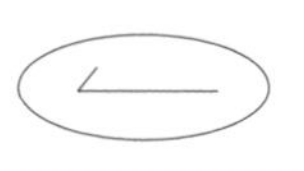



# 知己

[ji1] [gei2]

{名詞}

溝唔到嘅女/仔。

# 想靜下

[seung2] [jing6] [ha6]

{片語}

認識咗新歡，
卻未與新歡確認關係，
為騎牛搵馬之策。

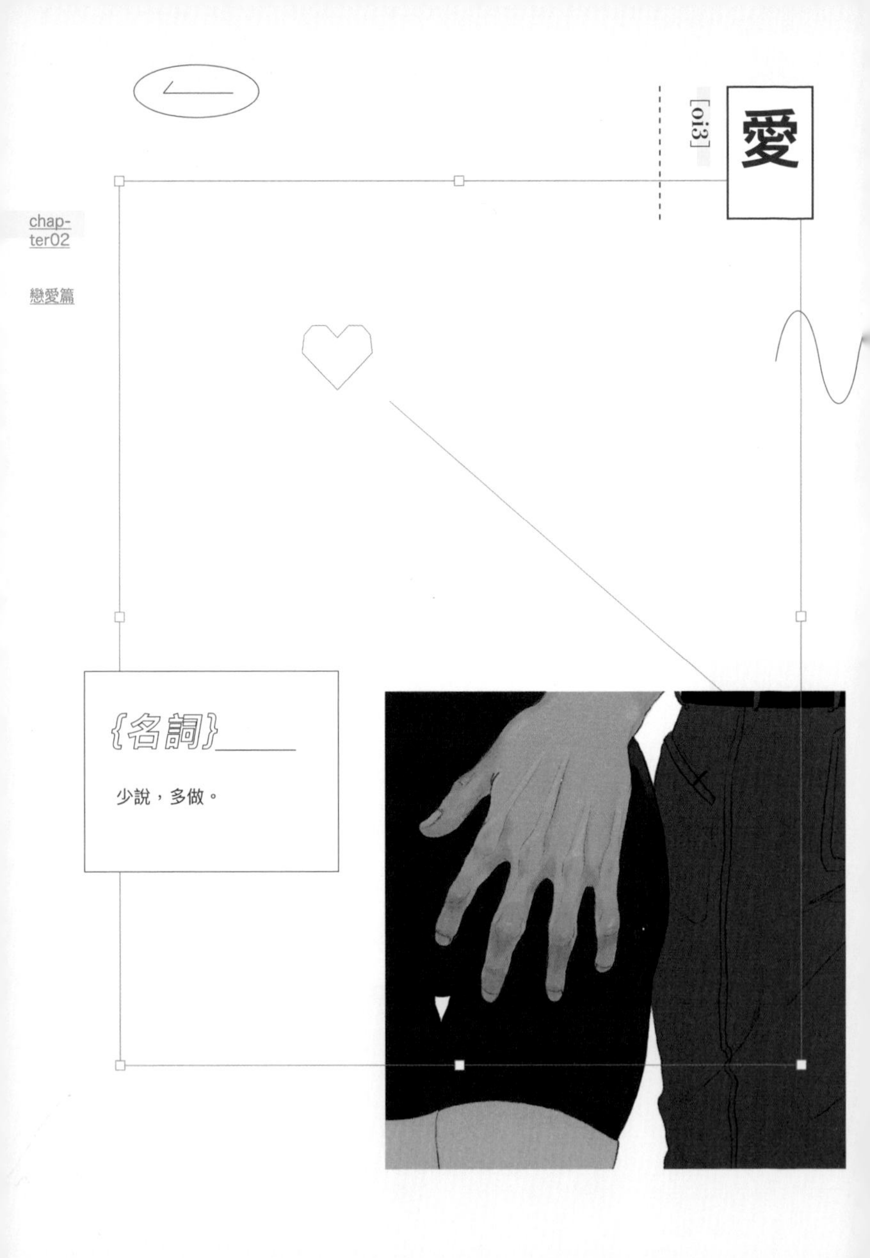

# 愛

[oi3]

{名詞}

少說，多做。

# 初戀

[cho1] [lyun2]

錢我大把！我依家要初戀！...初戀呀！

{名詞}

只會係你人生最美好
或者最悲慘嘅時光，
沒有之間。

# 出 pool

[cheut1] [-]

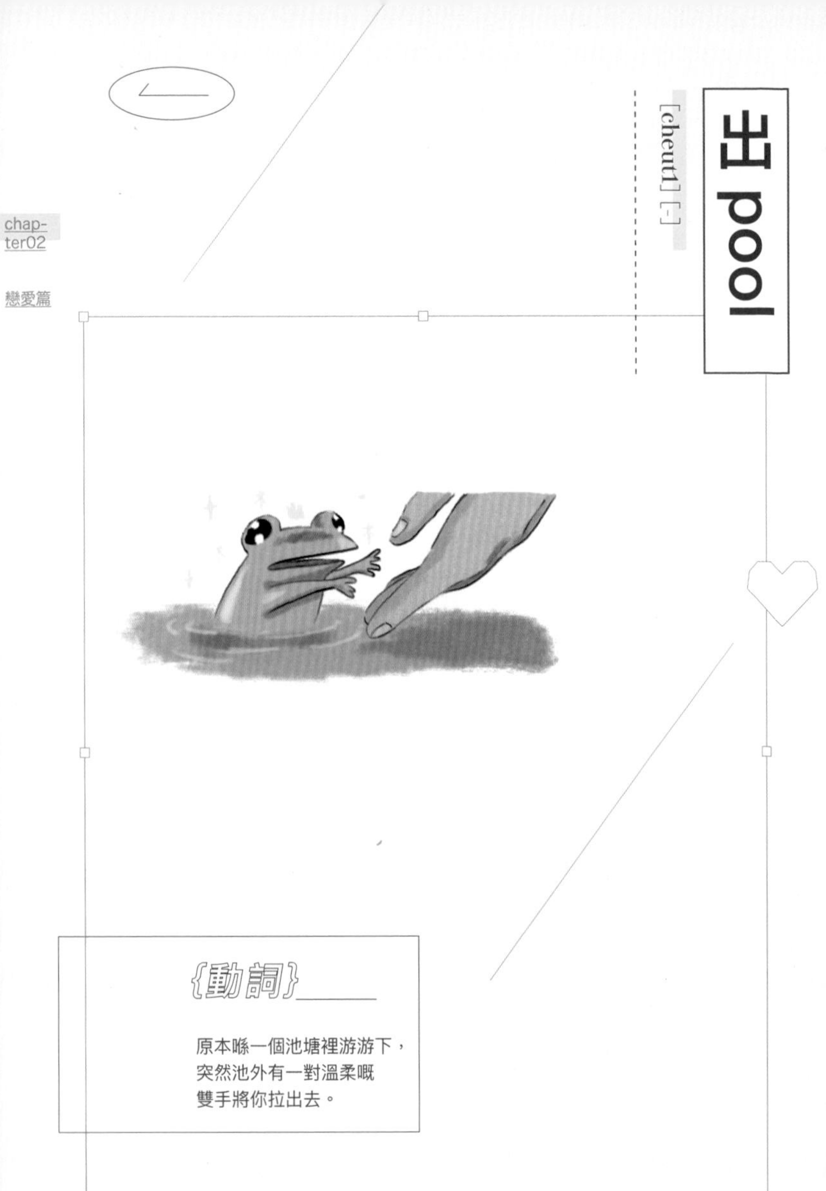

{動詞}

原本喺一個池塘裡游游下，
突然池外有一對溫柔嘅
雙手將你拉出去。

{動詞}

最低成本，
最高效嘅收兵法門。

# A380

[-]

{名詞}

其實都係 A0 單身狗，
唔好拆穿！

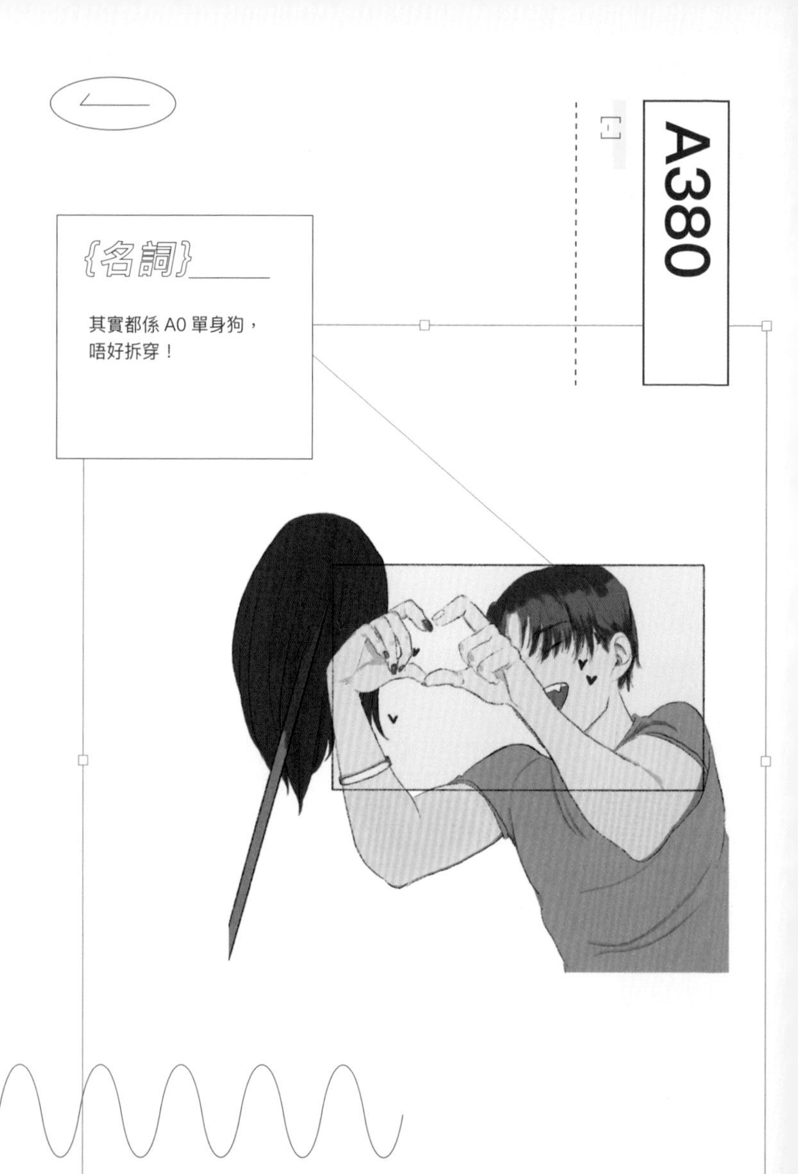

# BB豬

[bi4] [bi1] [jyu1]

{名詞}

表面上係親暱嘅稱呼，
查實以豬為比喻離不開
以下三種暗喻：
懶瞓，肥，為食。

# 兵

[bing1]

chap-
ter02

戀愛篇

{名詞}

可分為步兵〔行街 用〕，
伙食兵〔晚飯用〕，
騎兵〔夜晚用〕，
通信兵〔無聊用〕，
工兵〔交功課用 〕，
哨兵〔唔洗用，
知你等緊我就足夠〕。

# 青頭仔

[cheng1] [tau4] [jai2]

{名詞}

出淤泥而不染，
濯清漣而不妖；
可遠觀而不曾被褻玩焉。

# 戴綠帽

[daai3] [luk6] [mou2]

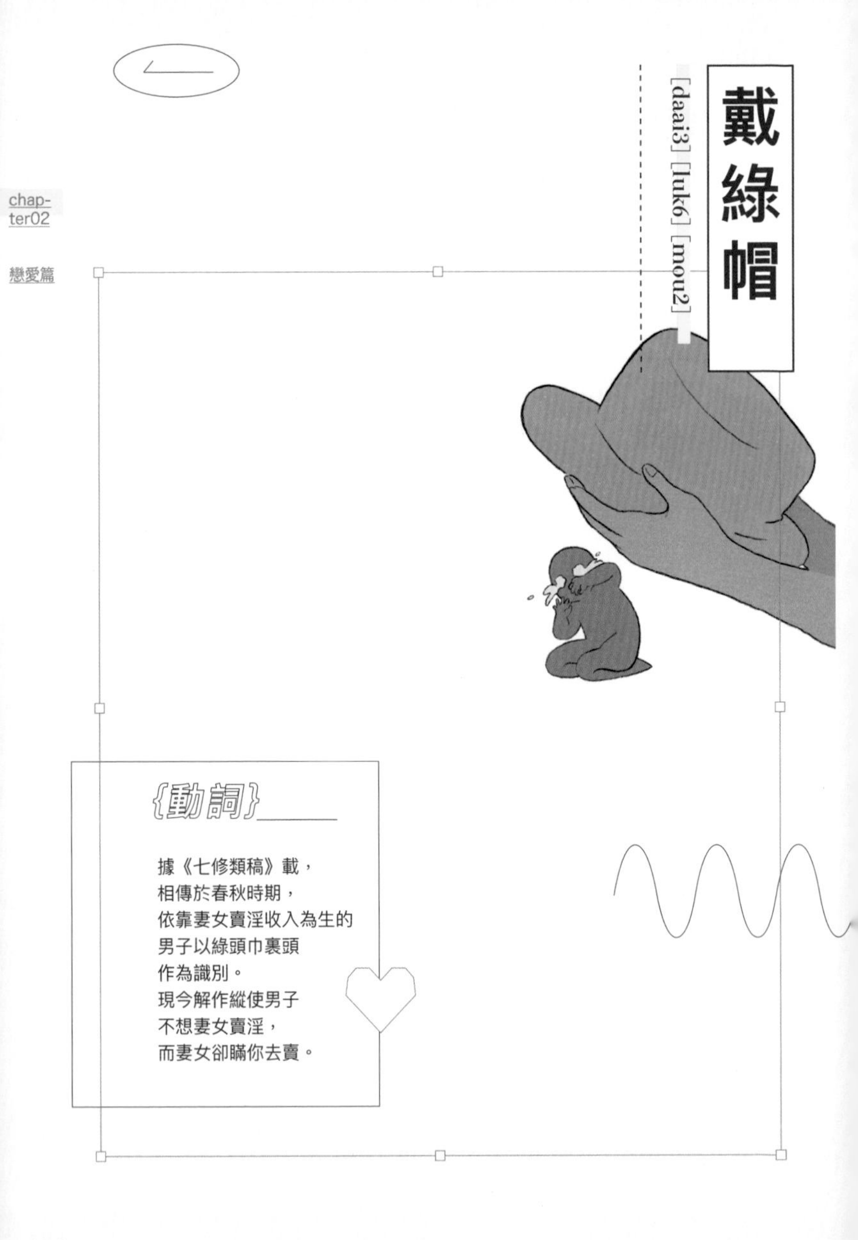

{動詞}

據《七修類稿》載，
相傳於春秋時期，
依靠妻女賣淫收入為生的
男子以綠頭巾裹頭
作為識別。
現今解作縱使男子
不想妻女賣淫，
而妻女卻瞞你去賣。

# 你係個好人

[nei5] [hai6] [go3] [hou2] [yan4]

{歇後語}

可是樣子欠佳。

# 契哥契妹

[kai3] [go1] [kai3] [mui2]

{名詞}

畀人 Friendzone 咗。

# 電燈膽

[din6] [dang1] [daam2]

{名詞}

溝緊果陣好需要，
溝到果陣唔想要。

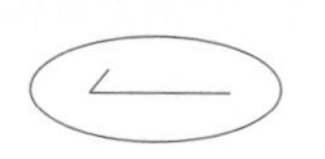

# 現充

[yin6] [chung1]

chap-
ter02

戀愛篇

{形容詞}

現實中過得充實，
在日常使用中與
「有拖拍」同義。

# 前度

[chin4] [dou6]

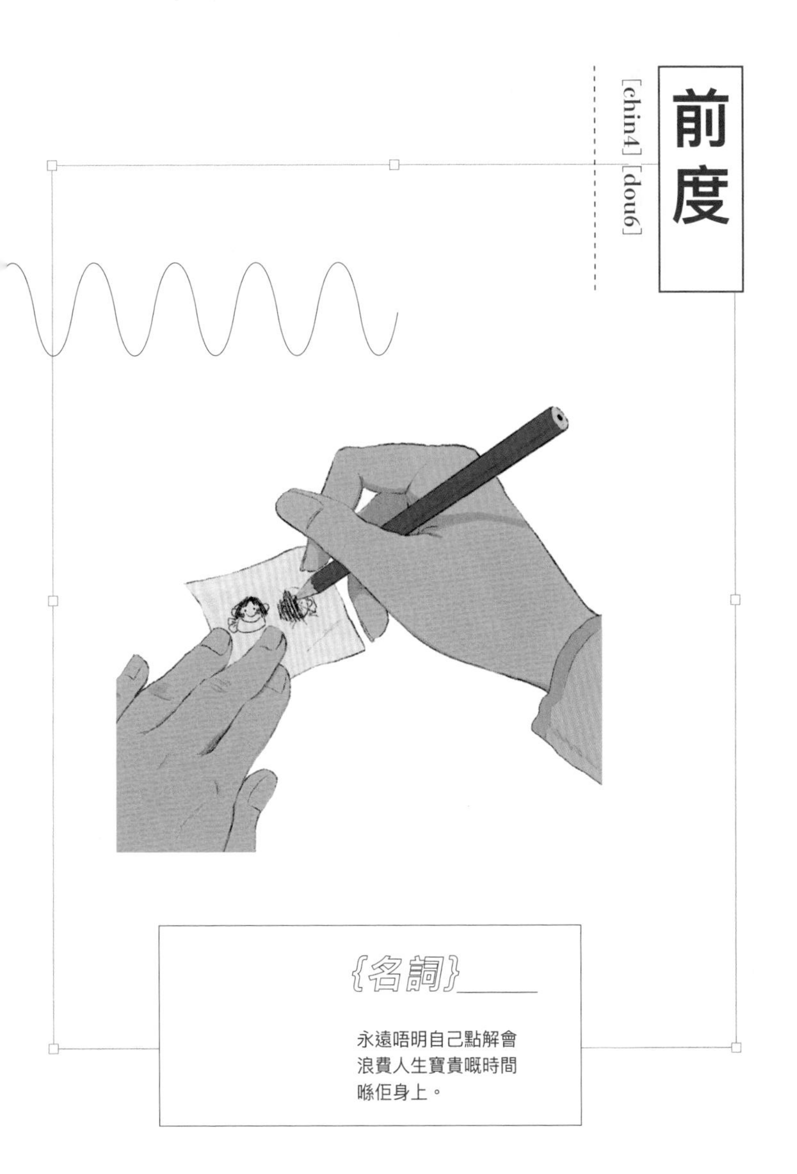

{名詞}

永遠唔明自己點解會
浪費人生寶貴嘅時間
喺佢身上。

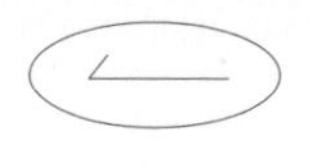



# 玩家

[waan2] [ga1]

{名詞}

冇人發現就風流，
畀人發現就下流。

# 友達以上

[yau5] [daat6] [yi5] [seung6]

{形容詞}

收你兵咋傻仔。

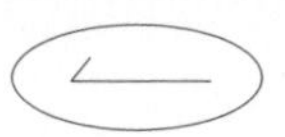

# 唔啱 Timing

[m4] [ngaam1] [-]

{片語}

我本來鍾意你果陣
你又唔鍾意番我，
依家太遲喇。

# 生不如死

[sang1] [bat1] [yu4] [sei2]

{形容詞}

曾經每日等你放學嘅人，
每日等另一個人放學。

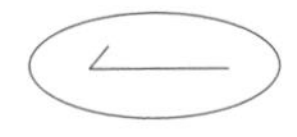



# Ig story

{名詞}

係最冇違和感嘅識人方法。
攻略如下：先加佢 IG，
等一個契機，
回覆佢 IG story 就可以
合理地同佢開展話題。

# 表白

[biu2] [baak6]

{動詞}

終結一段友誼嘅最佳方法。

chap-
ter02

戀愛篇

# 不如我地試下

[bat1] [yu4] [ngo5] [dei6] [si3] [ha3]

{片語}

比起可唔可以做我女朋友，
問呢句嘅表白
成功率高出一倍。

# 互相遷就

[wu6] [seung1] [chin1] [jau6]

{動詞}

女朋友大聲時你細聲，
女朋友再大聲時你收聲。

chap-
ter02

戀愛篇

# 復合

[fuk6] [hap6]

{動詞}

理性上知唔應該，
但身體卻很誠實。

# 純朋友

[seun4] [pang4] [yau5]

{名詞}

夠單純先會相信
嘅童話故事。

# 愚人節

[yu4] [yan4] [jit3]

{名詞}

超級多人表白嘅節日。
有個小技巧：
如果你鍾意嘅人
喺呢日同你表白，
問你可唔可以做佢男 /
女朋友，你可以
等到過咗 12 點先覆。

# 暖男

[nyun5] [naam4]

{名詞}

淨係對自己一個好就暖男，
對個個都係咁就係收兵。

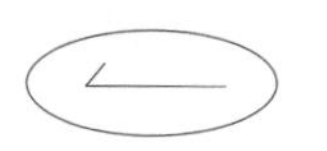

# 社交距離

[se5] [gaau1] [keui5] [lei4]

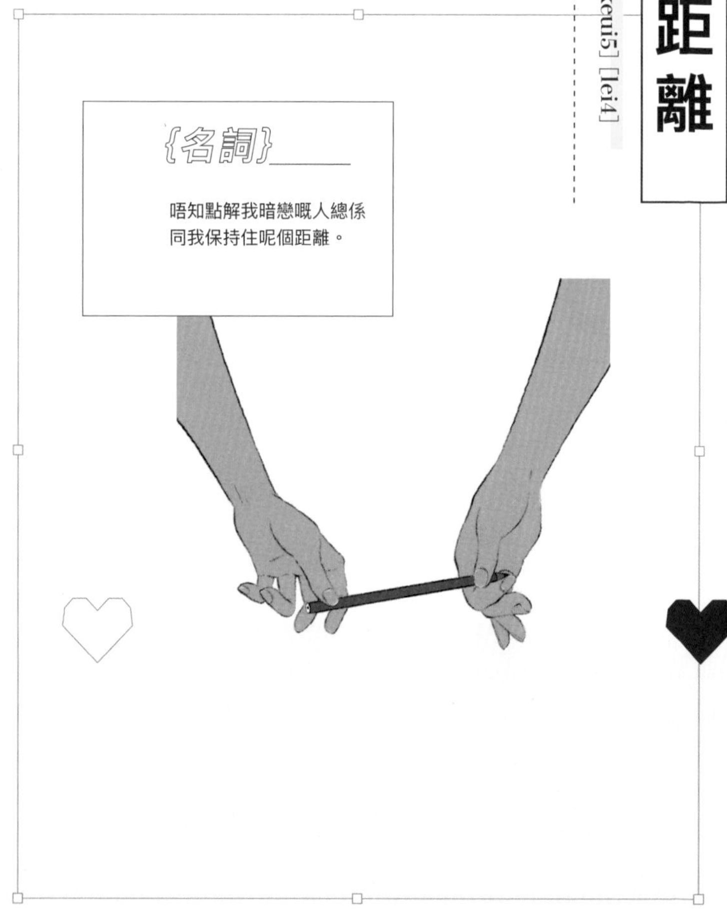

{名詞}

唔知點解我暗戀嘅人總係
同我保持住呢個距離。

# 緣份

[yun4] [fan6]

{名詞}

同前度分咗手，
再喺交友 App 相遇番。

# 戀愛大師

[lyun2] [oi3] [daai6] [si1]

{名詞}

通常 A0。

# 回復單身

[wui4] [fuk6] [daan1] [san1]

{形容詞}

形容人終於可以放盪，
做番自己，回復獸性。

# 佢鍾意我

[keui5] [jung1] [yi3] [ngo5]

{片語}

表白失敗咗先會開始
諗點解會有咁嘅幻覺。

# 封鎖

[fung1] [so2]

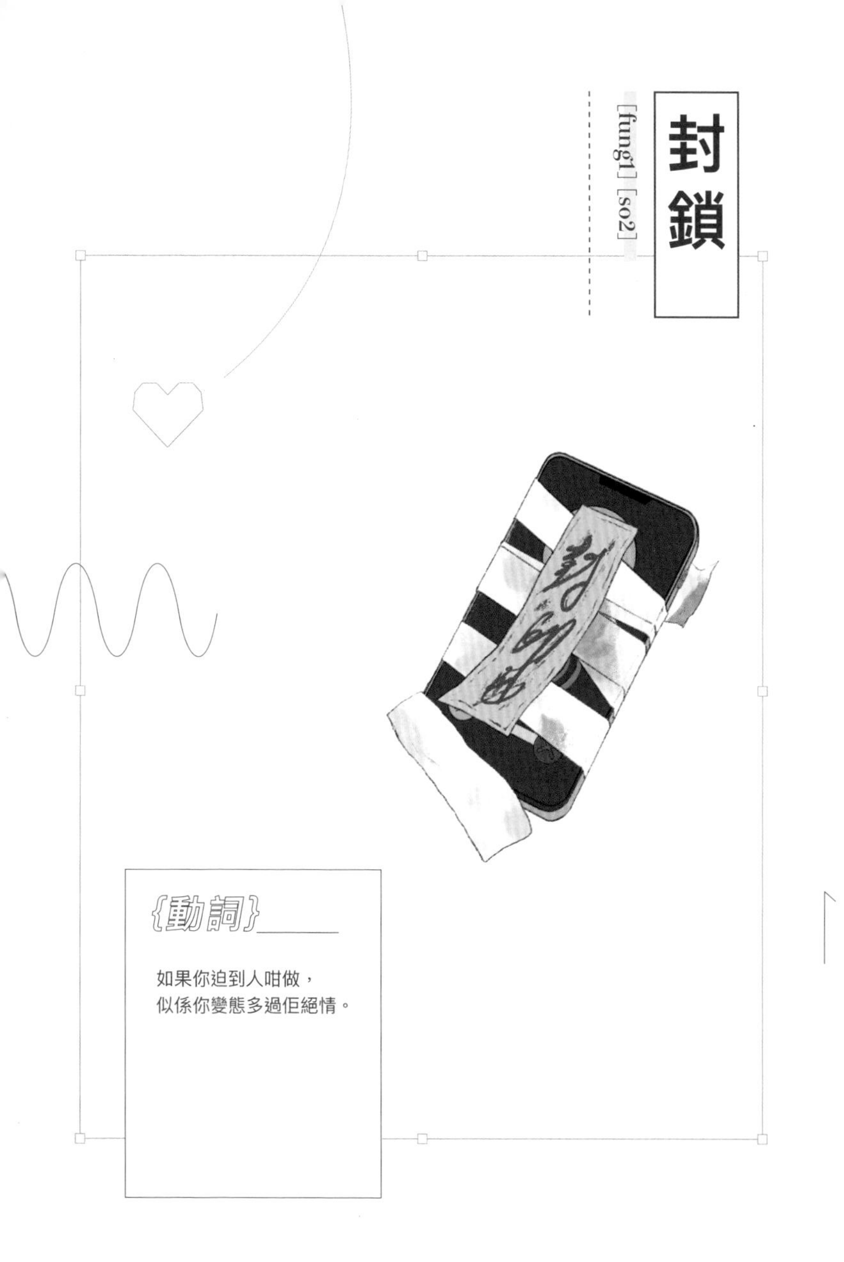


{動詞}

如果你迫到人咁做，
似係你變態多過佢絕情。

chap-ter02

戀愛篇

# 承諾

[sing4] [nok6]

{動詞}

係一啲意義都冇，
考慮往績比較科學。

# 曖昧

[oi2] [mui6]

{名詞}

冇責任就是爽。

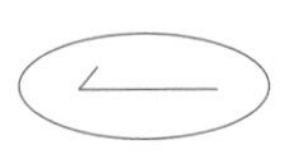

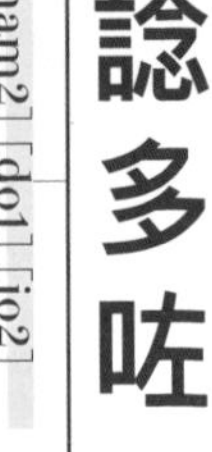

# 諗多咗

[nam2] [do1] [jo2]

{形容詞}

套戲好似好好睇；
想約我睇？
你食咗飯未；
想約我食飯？
你好細心；
想做我女朋友？

# chapter03

# 校園篇

# 搏盡無悔

[bok3] [jeun6] [mou4] [fui3]

{動詞}

合理化所有唔理智嘅決定。

# 儲存

[chyu5] [chyun4]

{動詞}

總係死機先會記得。

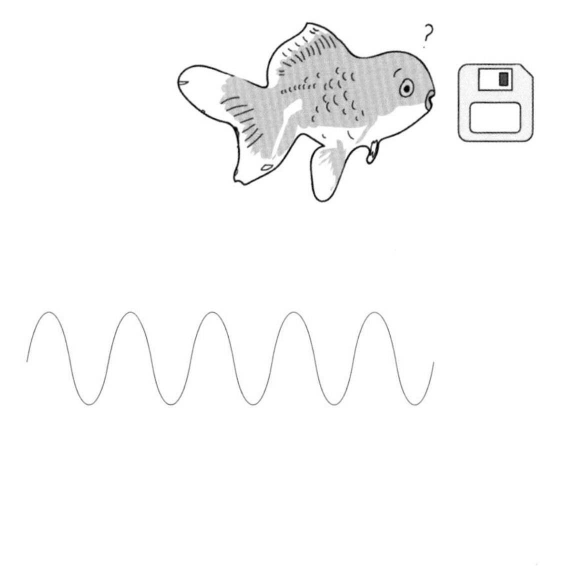

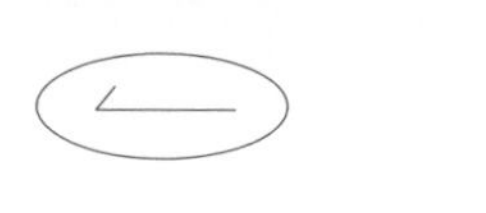

# 努力讀書

[nou5] [lik6] [duk6] [syu1]



{片語}

啱啱開學先夠薑誇下海口。

# 廢紙

[fai3] [ji2]

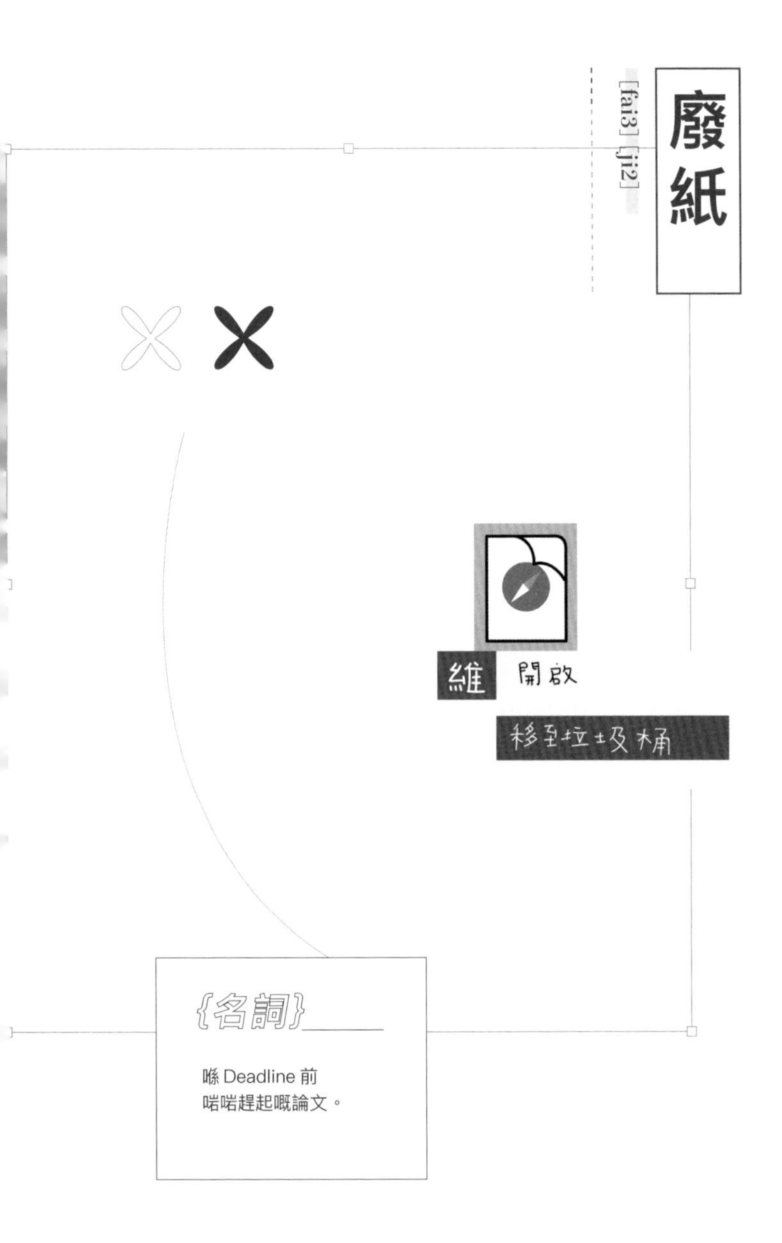


{名詞}

喺 Deadline 前
啱啱趕起嘅論文。

# USB

{名詞}

每次 Present 完都會
自動唔見咗嘅物品。

# 三大

[saam1] [daai6]

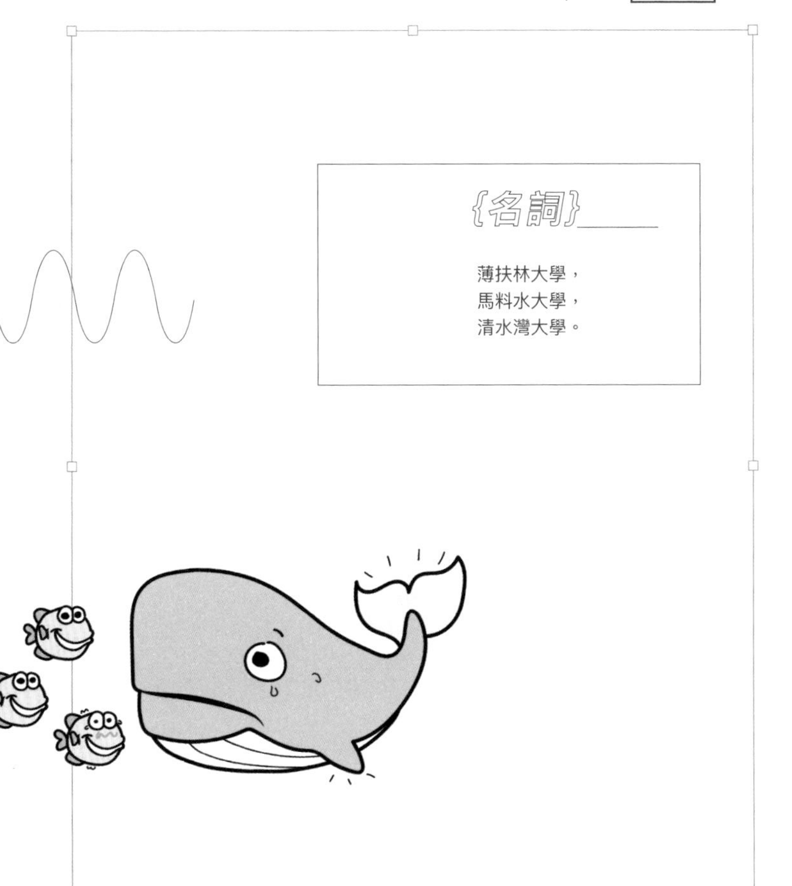

{名詞}

薄扶林大學，
馬料水大學，
清水灣大學。

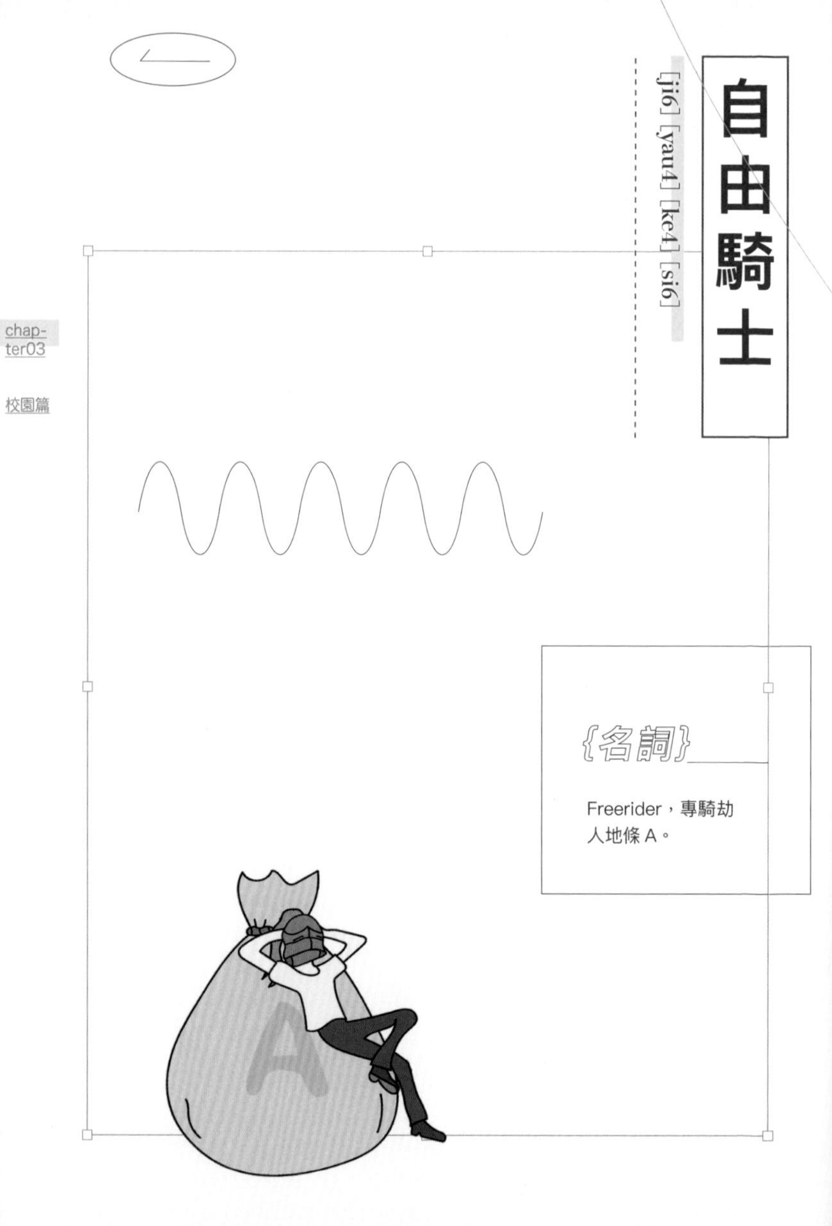
自由騎士
[ji6] [yau4] [ke4] [si6]
chap-
ter03
校園篇
{名詞}
Freerider，專騎劫
人地條A。

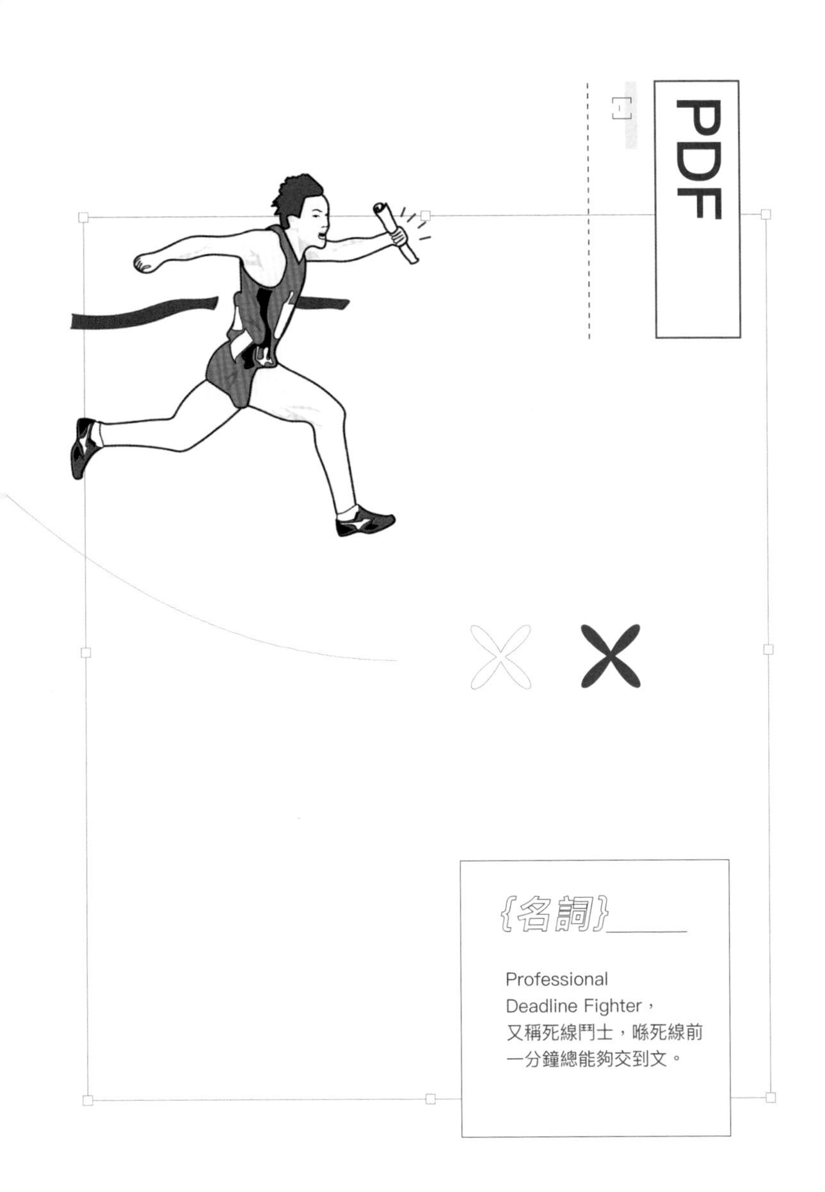
PDF
{名詞}
Professional
Deadline Fighter，
又稱死線鬥士，喺死線前
一分鐘總能夠交到文。

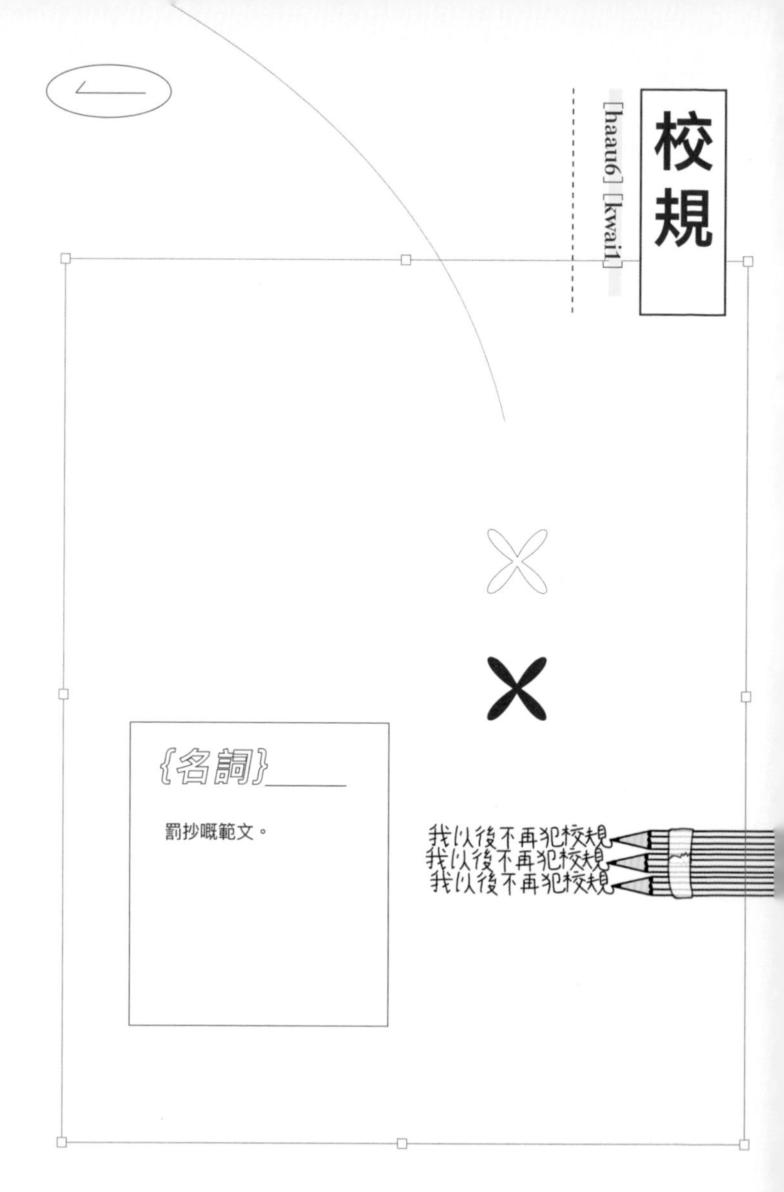


{名詞}

罰抄嘅範文。

# 頹 Tee

[teui4] [-]

{名詞}

同入唔到大學嘅朋友講，
我入 U 玩 Ocamp，
仲要叫一件你夢寐以求都
得唔到嘅 Camp Tee
做頹 Tee，係絕對嘅欺凌。

# 參考

[chaam1] [haau2]

{形容詞}

有技巧地抄，
而冇人睇得出你抄左。

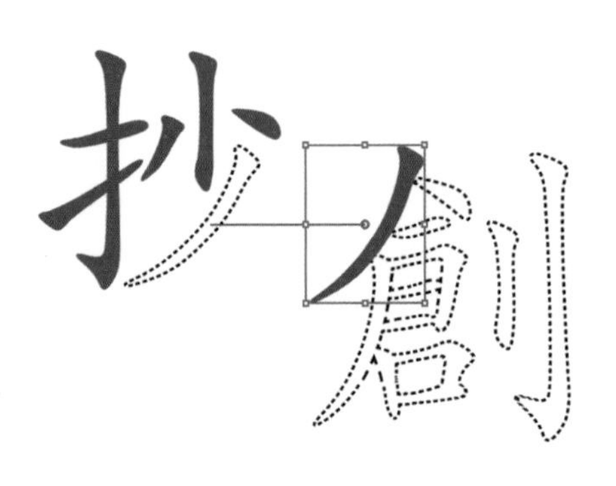

# 校園

[haau6] [yun4]

{名詞}

一個有得返就唔想返，
冇得返就好想返嘅地方。

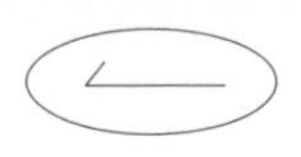

# 網上學習

[mong5] [seung6] [hok6] [jaap6]

{名詞}

考驗點樣一邊打機，
一邊聽住老師有冇叫
自己個名，
一聽到就要即時比反應。

# Past Paper

{名詞}

用同一份試卷折磨往後
千千萬萬嘅考生。

# 靡爛

[mei4] [laan6]

Sem break 嘅人生。

# 班衫

[baan1] [saam1]

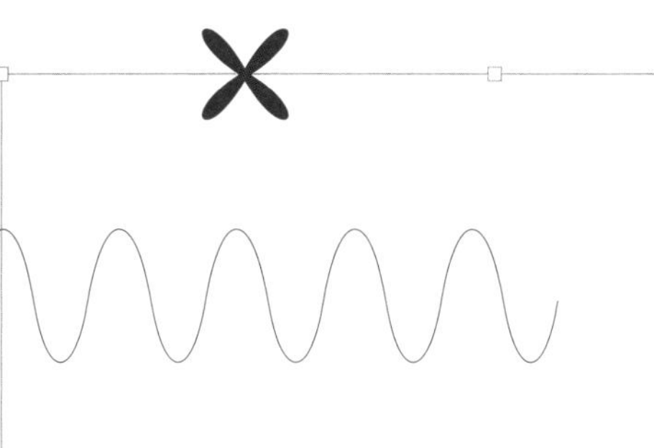

{名詞}

睡衣。

# 考試題目

[haau2] [si3] [tai4] [muk6]



{名詞}

上堂完全冇教過嘅嘢。

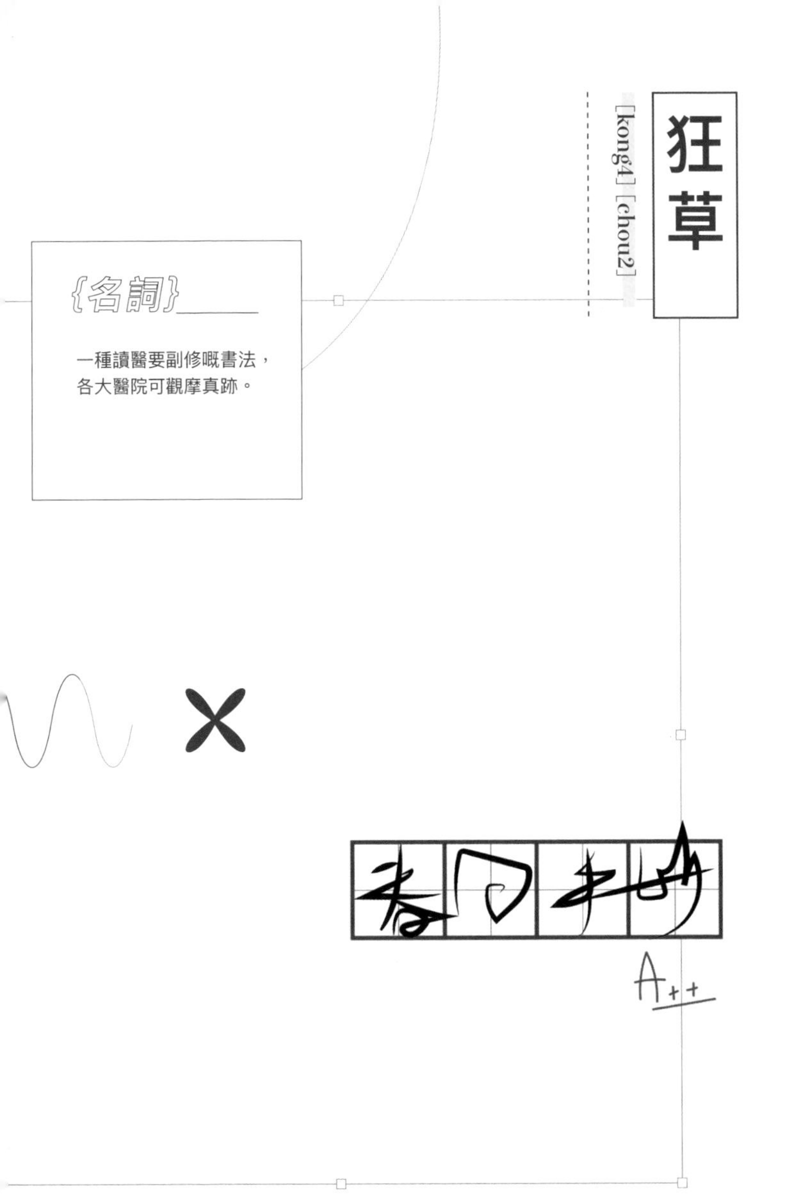
狂草
[kong4] [chou2]
{名詞}
一種讀醫要副修嘅書法，
各大醫院可觀摩真跡。
A++

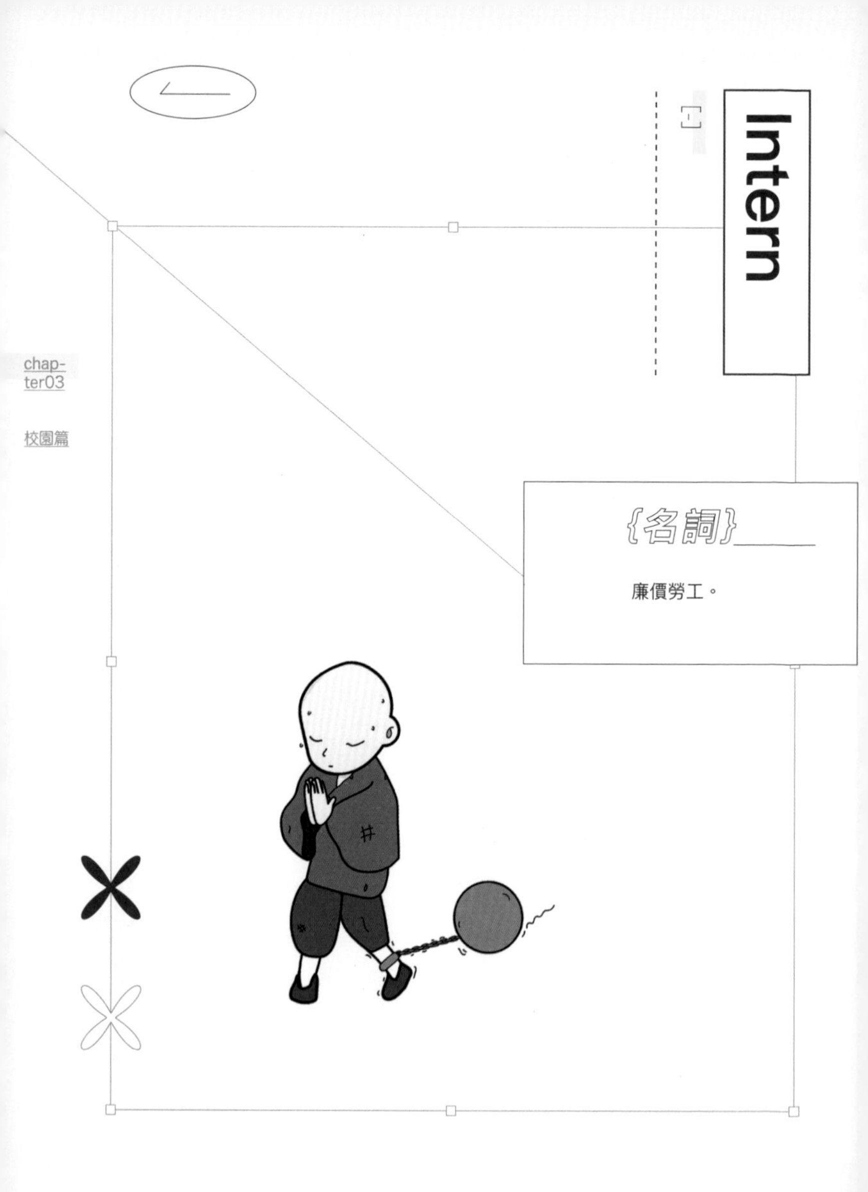
Intern
chap-
ter03
校園篇
{名詞}
廉價勞工。

# 應屆畢業生

[ying3] [gaai3] [bat1] [yip6] [saang1]

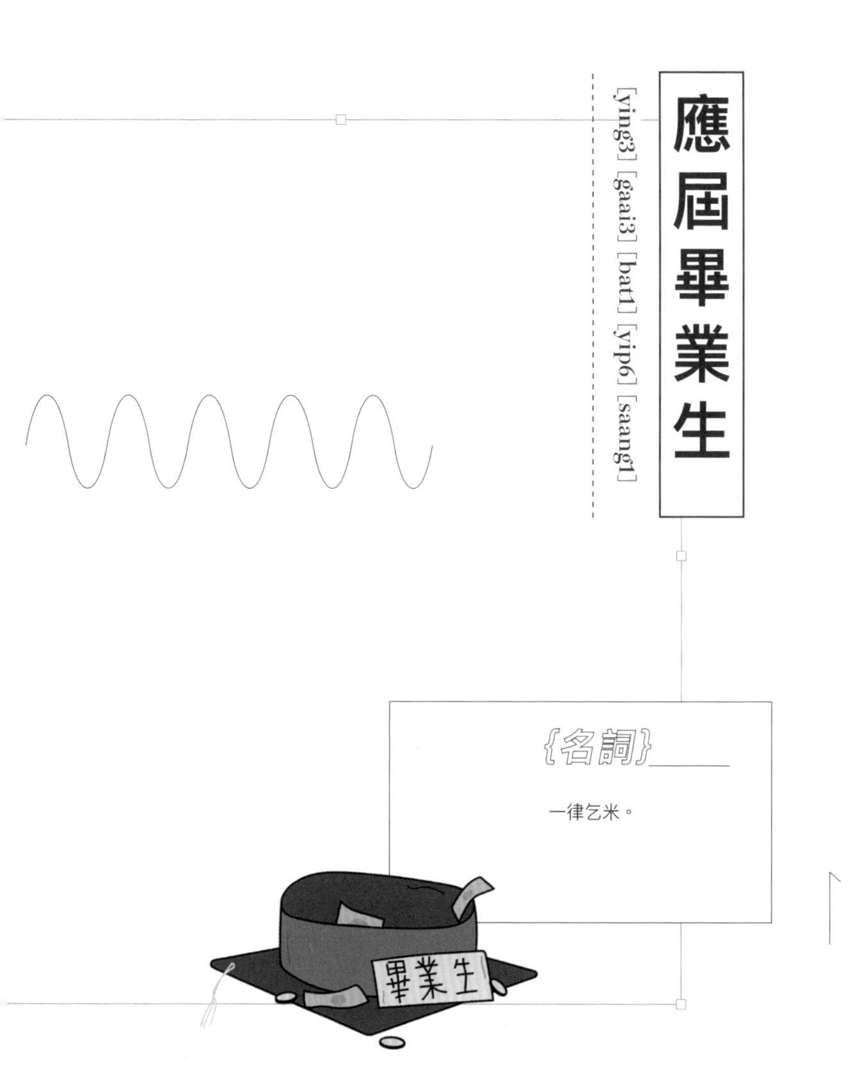


{名詞}

一律乞米。

# 上訴科目成績

[seung6] [sou3] [fo1] [muk6] [sing4] [jik1]

加 減

| +4 分 | +3 分 | +2 分 | +1 分 | 0 分 | −1 分 | −2 分 | −3 分 | −4 分 |
| --- | --- | --- | --- | --- | --- | --- | --- | --- |

| 5** 級 | 5* 級 | 5 級 | 4 級 | 3 級 | 2 級 | 1 級 |
| --- | --- | --- | --- | --- | --- | --- |

{動詞}

倒錢落海。

# chap-ter04

# 哲理篇

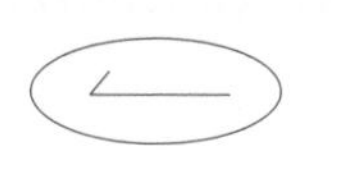

# 道理

[dou6] [lei5]

{名詞}

聲量較大。

# 講你都唔明

[gong2] [nei5] [dou1] [m4] [ming4]

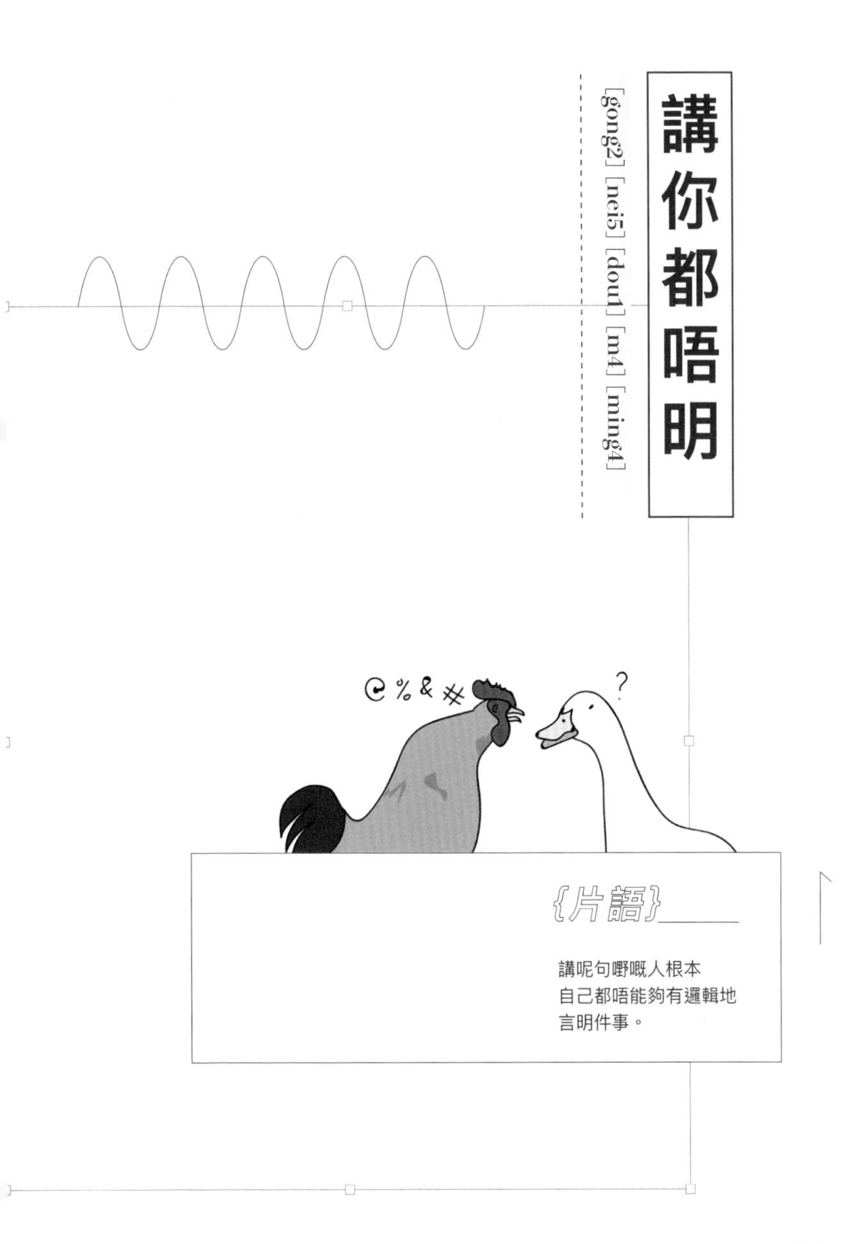


{片語}

講呢句嘢嘅人根本
自己都唔能夠有邏輯地
言明件事。

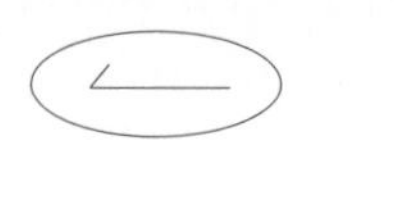

# 你的朋友

[nei5] [dik1] [pang4] [yau5]

{名詞}

就是你。

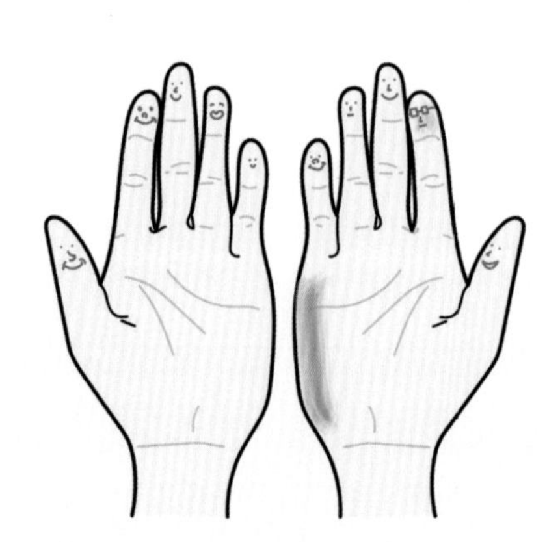

chap-
ter04

哲理篇

# 理性啲

[lei5] [sing3] [di1]

{片語}

通常失去左理性嘅
人就會講呢句。

# 人權

[yan4] [kyun4]

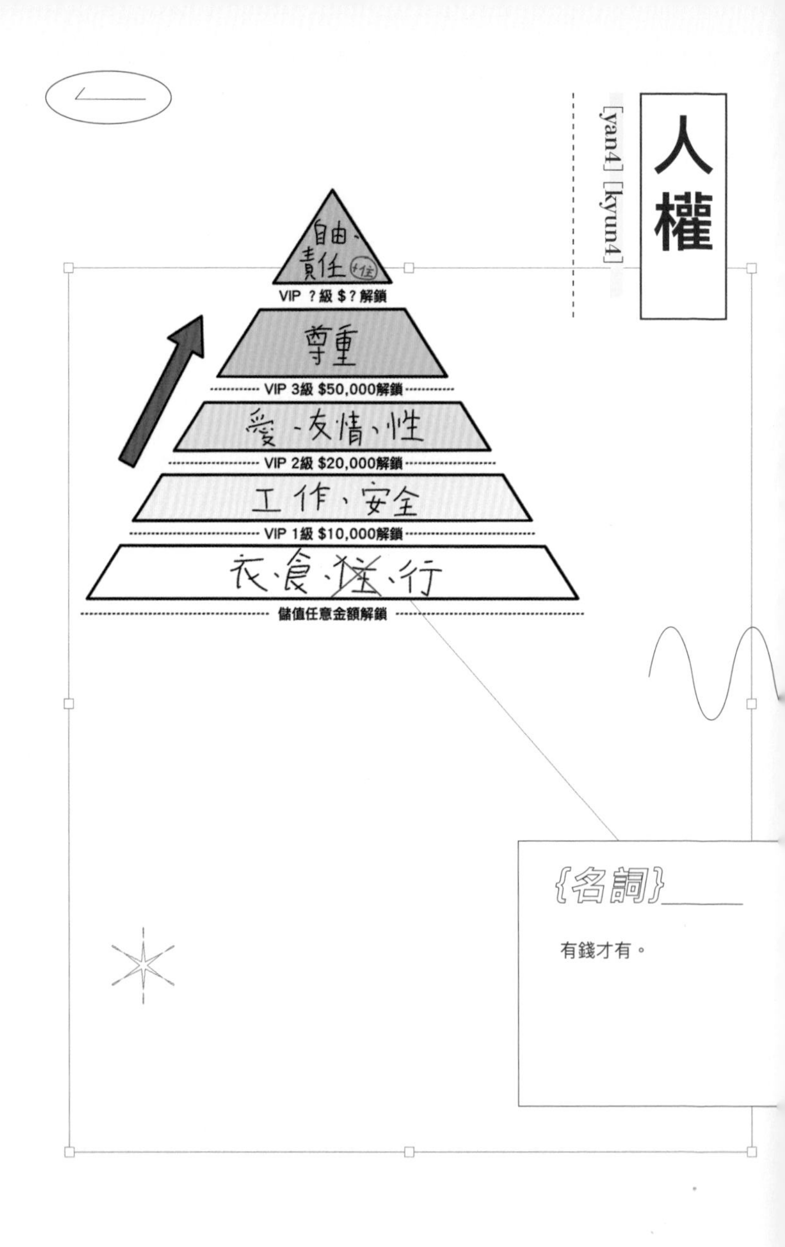


{名詞}

有錢才有。

# 顏值

[ngaan4] [jik6]

{名詞}

一個令人充份理解到，
當一出世就已經唔存在
公平嘅數值。

# 期望

[kei4] [mong6]

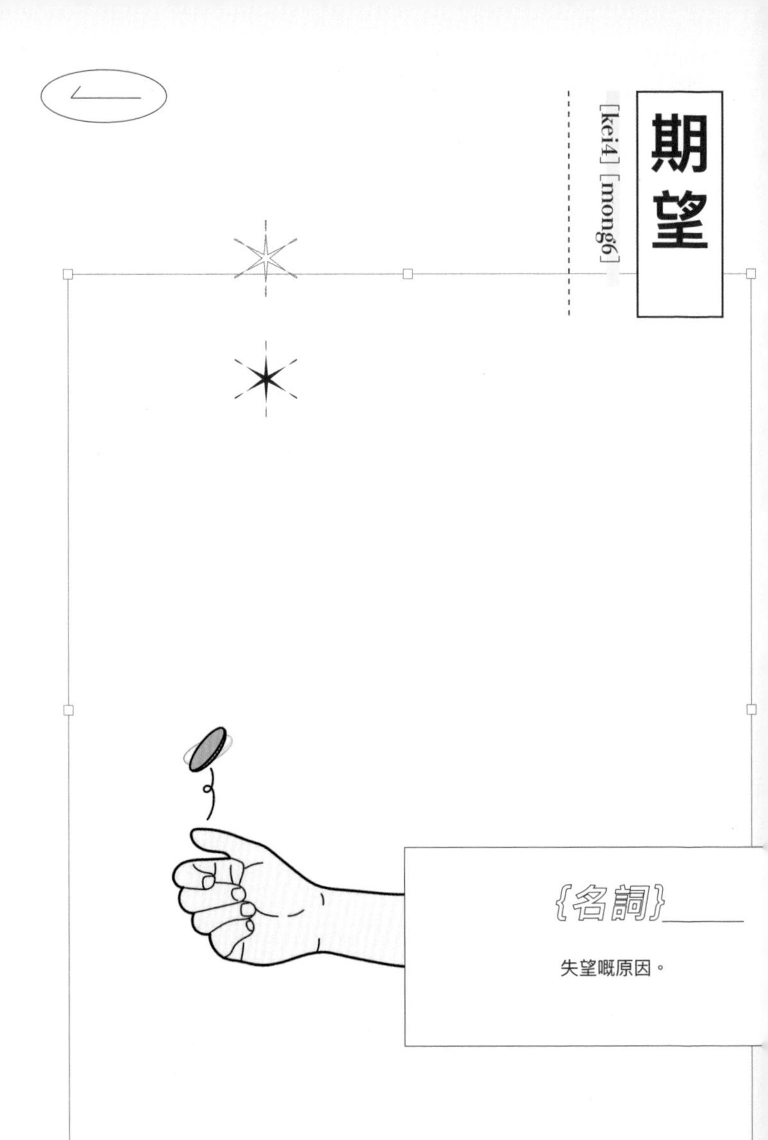

{名詞}

失望嘅原因。

# 錢買唔到快樂

[chin2] [maai5] [m4] [dou2] [faai3] [lok6]

{片語}

冇錢更加買唔到。

# 理性

[lei5] [sing3]

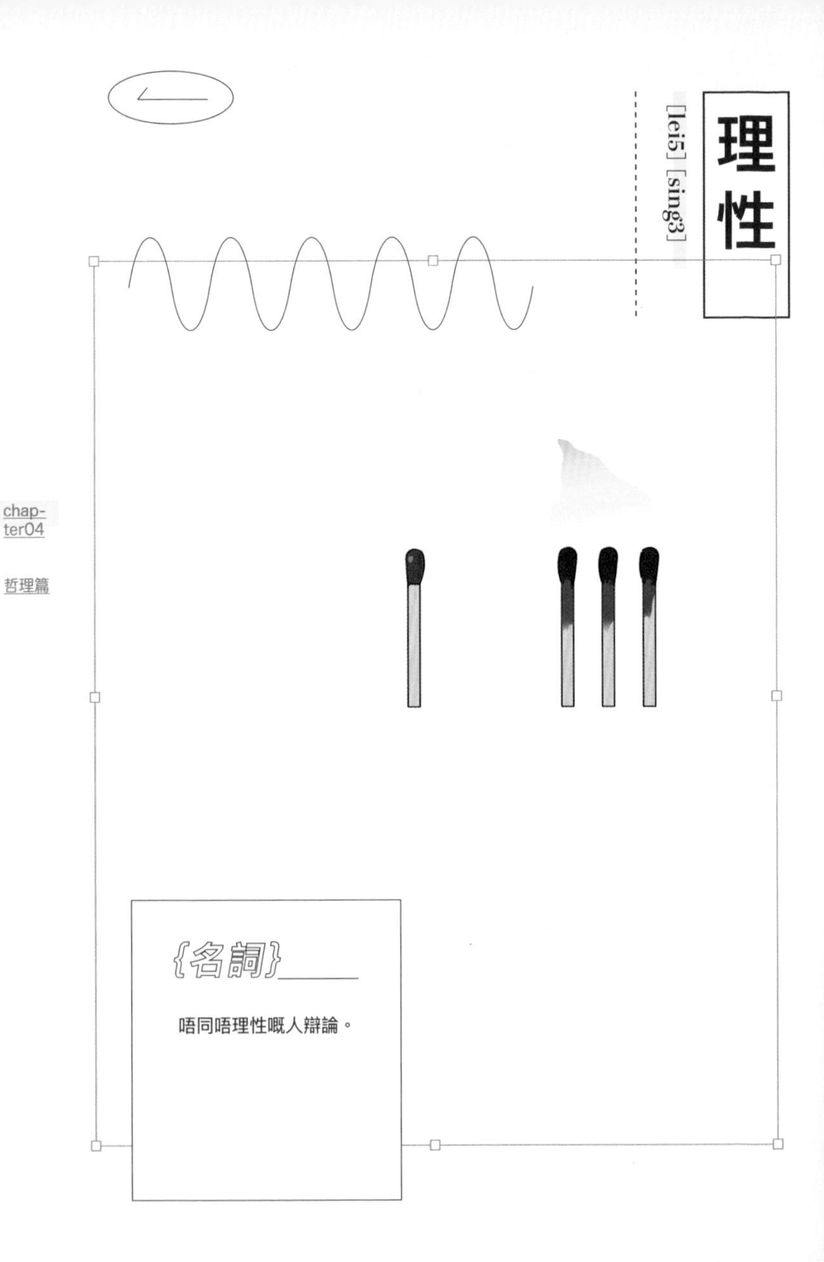

{名詞}

唔同唔理性嘅人辯論。

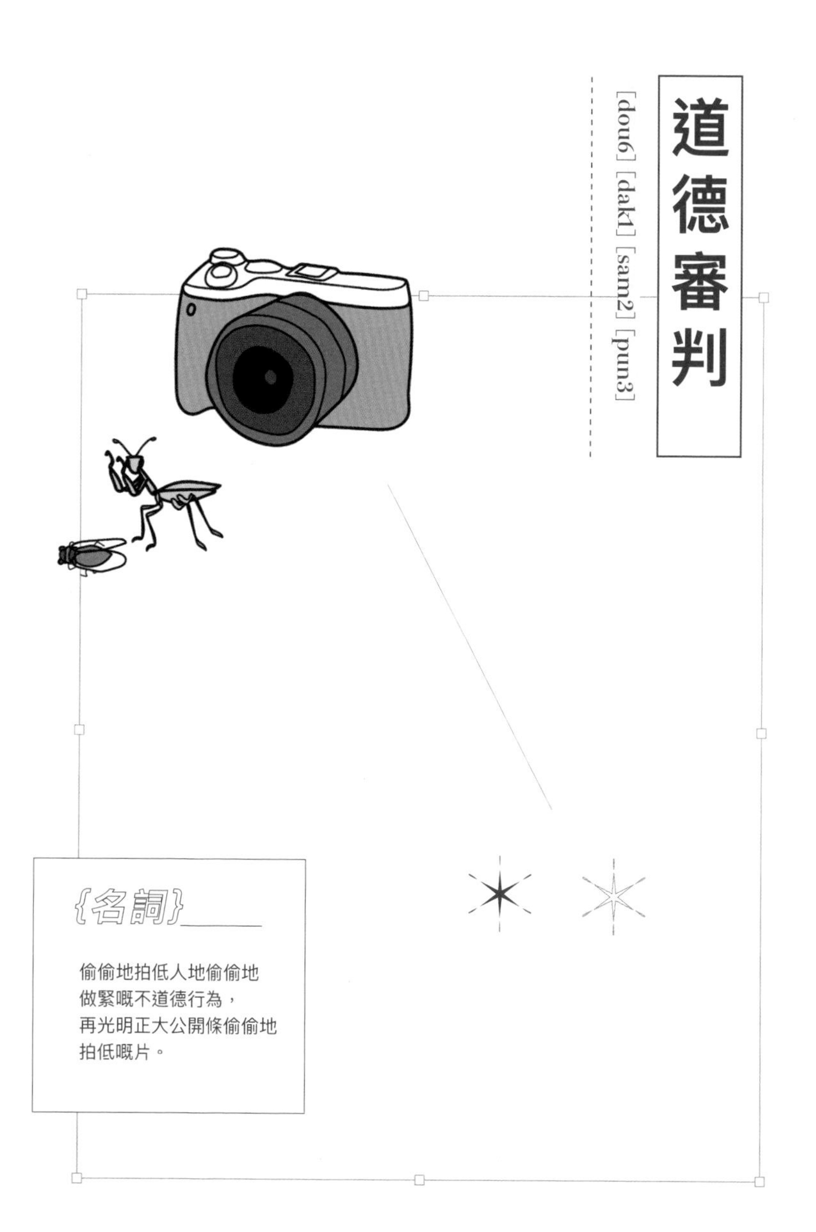

# 道德審判

[dou6] [dak1] [sam2] [pun3]

{名詞}

偷偷地拍低人地偷偷地
做緊嘅不道德行為，
再光明正大公開條偷偷地
拍低嘅片。

# 政治立場

[jing3] [ji6] [laap6] [cheung4]

{名詞}

好多人以為因為佢係
屬於某立場，
所以要做相應嘅嘢。
事實係，
因為你做咗某啲嘢，
所以你先屬於呢個立場。



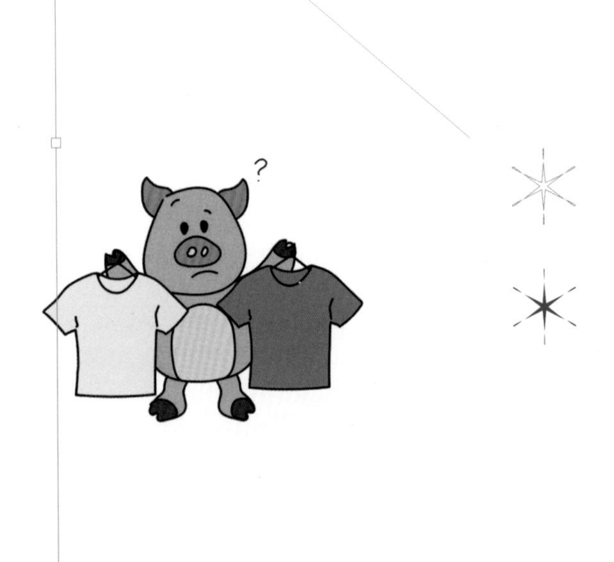

# 瘟疫

[wan1] [yik6]

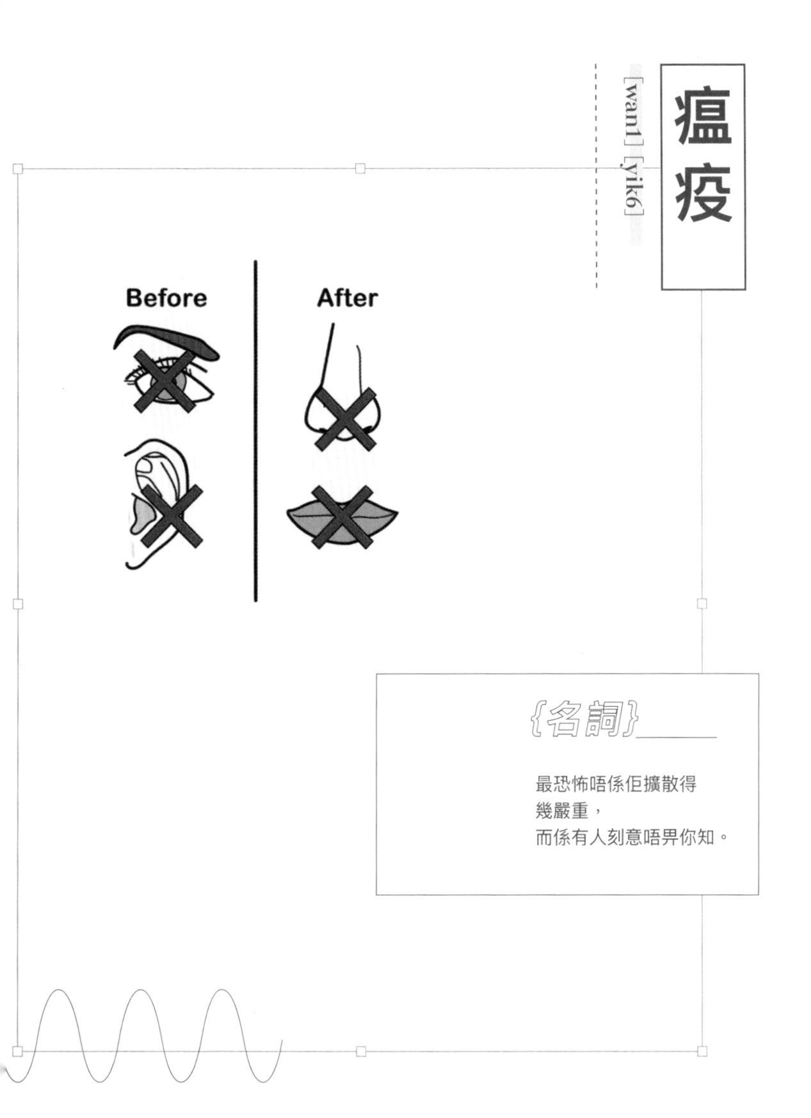


{名詞}

最恐怖唔係佢擴散得
幾嚴重，
而係有人刻意唔畀你知。

# 言論審查

[yin4] [leun6] [sam2] [cha4]

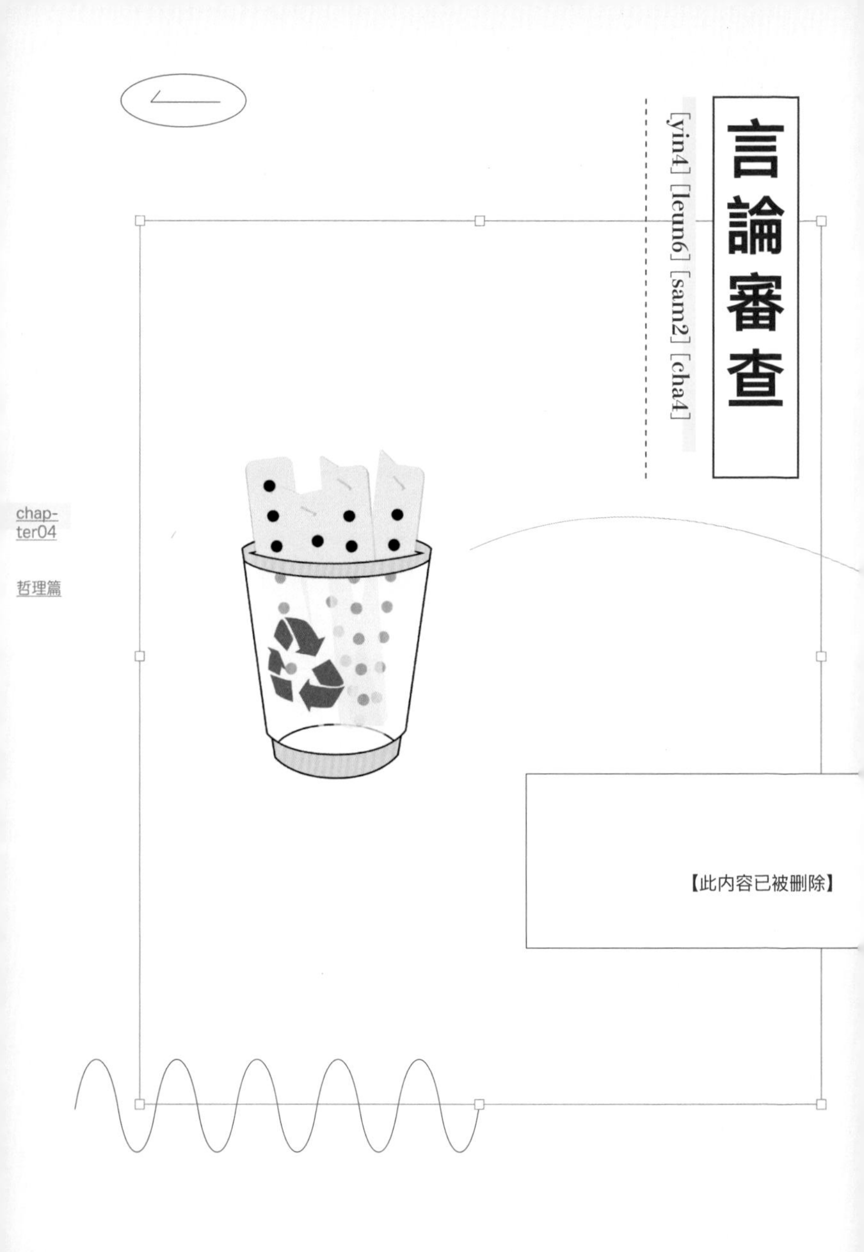

# 錯就要認

[cho3] [jau6] [yiu3] [ying6]

{歇後語}

要對方認。

# 冇可疑

[mou5] [ho2] [yi4]



此地無~~銀~~可疑

{片語}

當一件事疑點重重，
認為成件事冇可疑嘅
應該就只有幕後黑手。

# 言論自由

[yin4] [leun6] [ji6] [yau4]

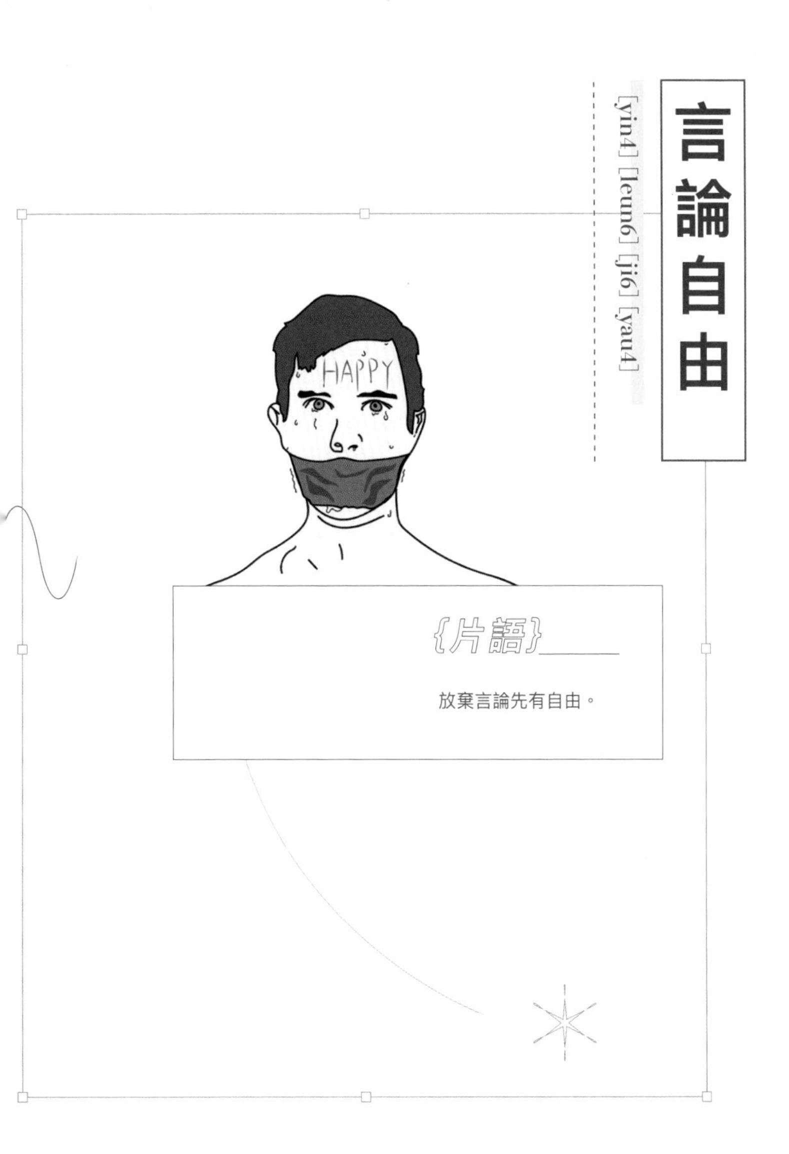


{片語}

放棄言論先有自由。

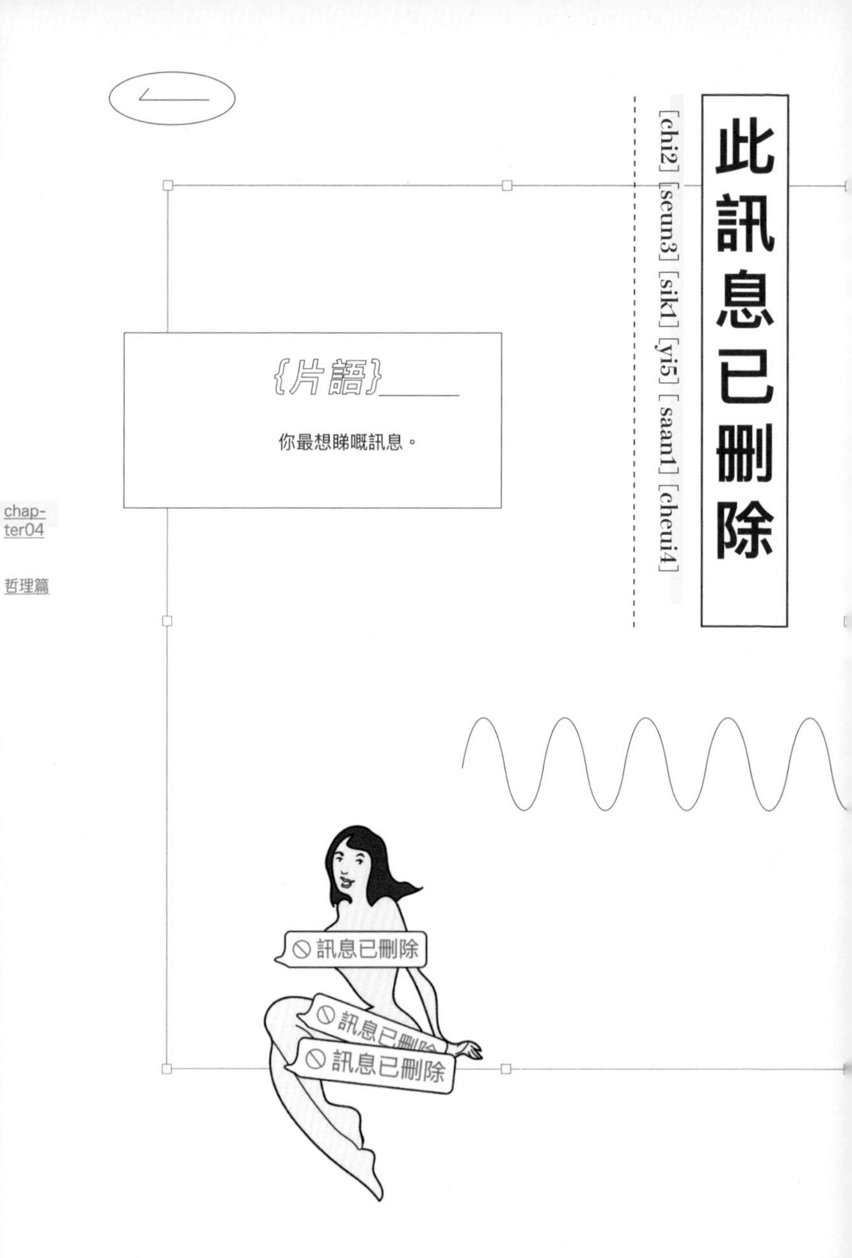


# 此訊息已刪除

[chi2] [seun3] [sik1] [yi5] [saan1] [cheui4]

{片語}

你最想睇嘅訊息。

# 不自由

[bat1] [zi6] [yau4]

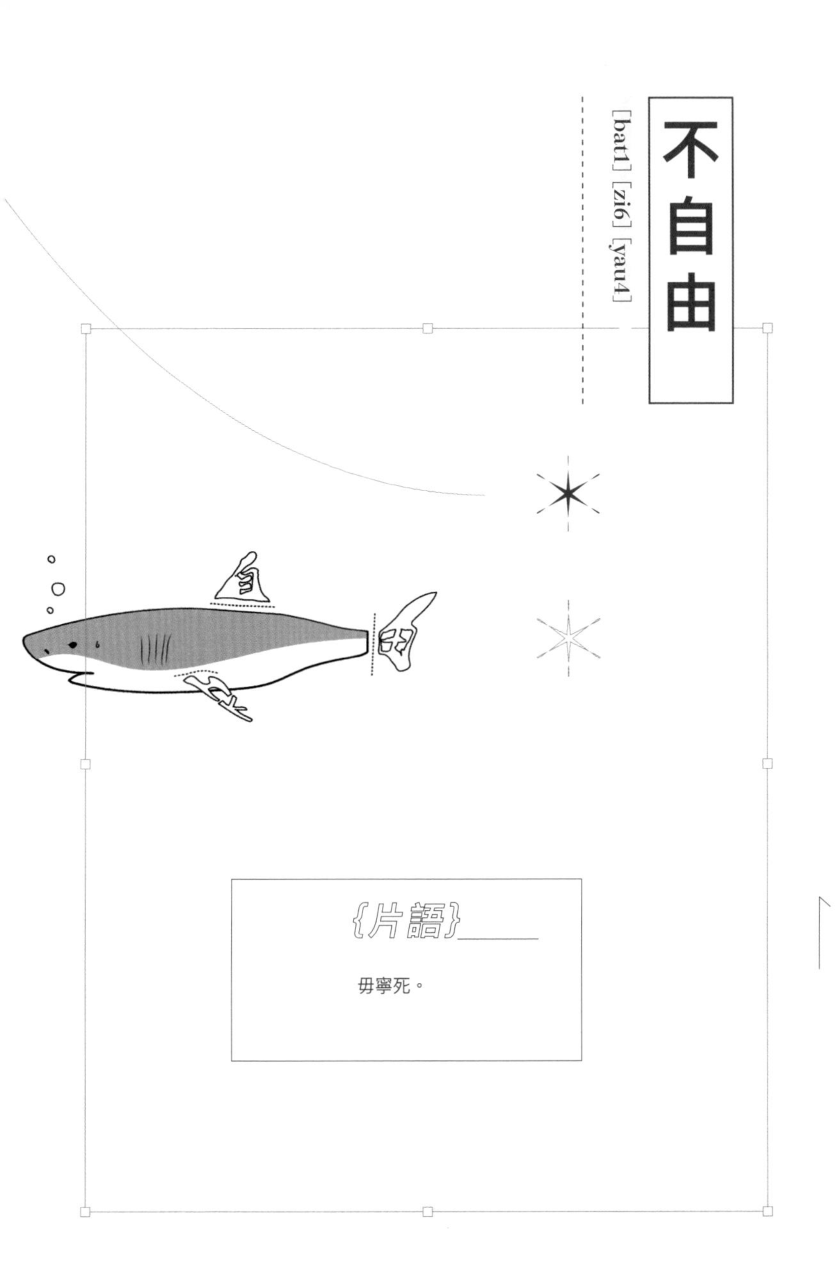

{片語}

毋寧死。

# 你知唔知

[nei5] [ji1] [m4] [ji1]

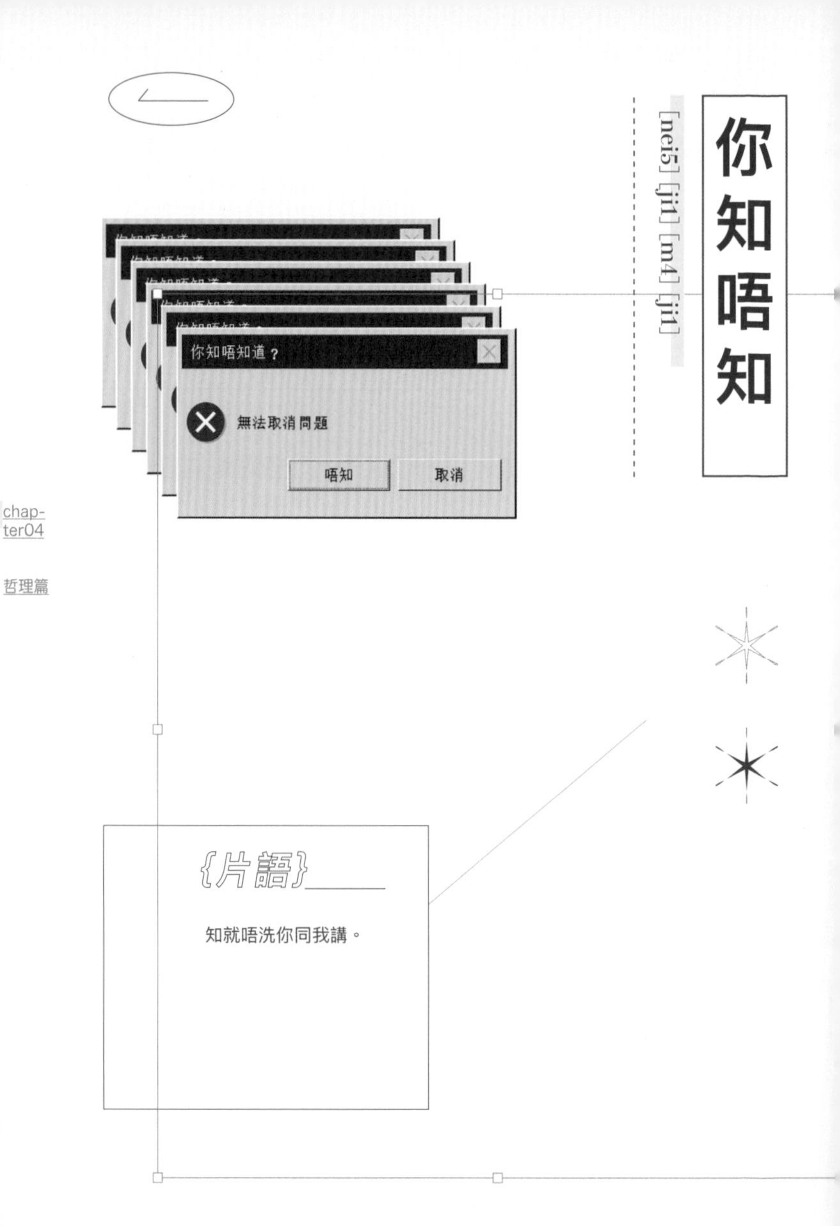


{片語}

知就唔洗你同我講。

# 若水

[yeuk6] [seui2]

{形容詞}

適時且退，
係為咗走更遠嘅路。

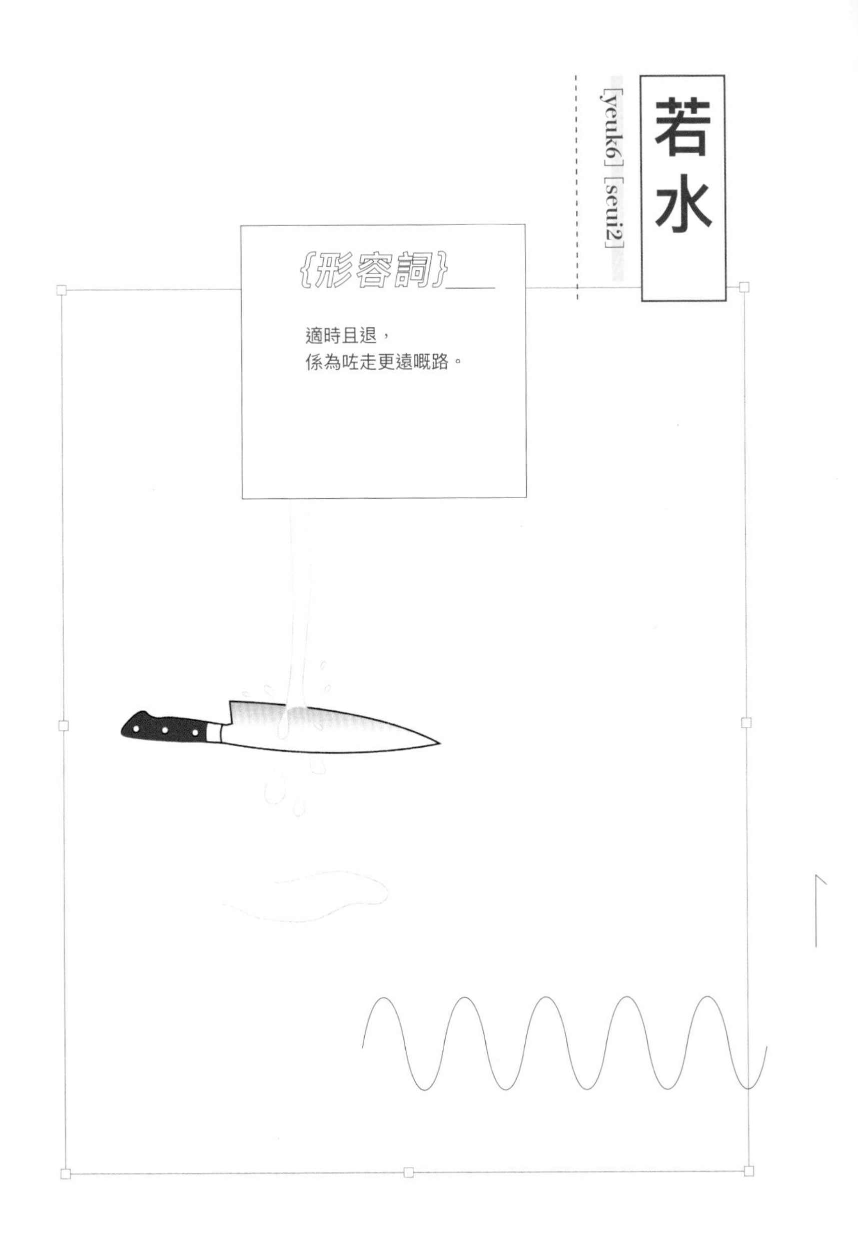

# 你不是一個窿

[nei5] [bat1] [si6] [yat1] [go3] [lung1]

You are not alone.

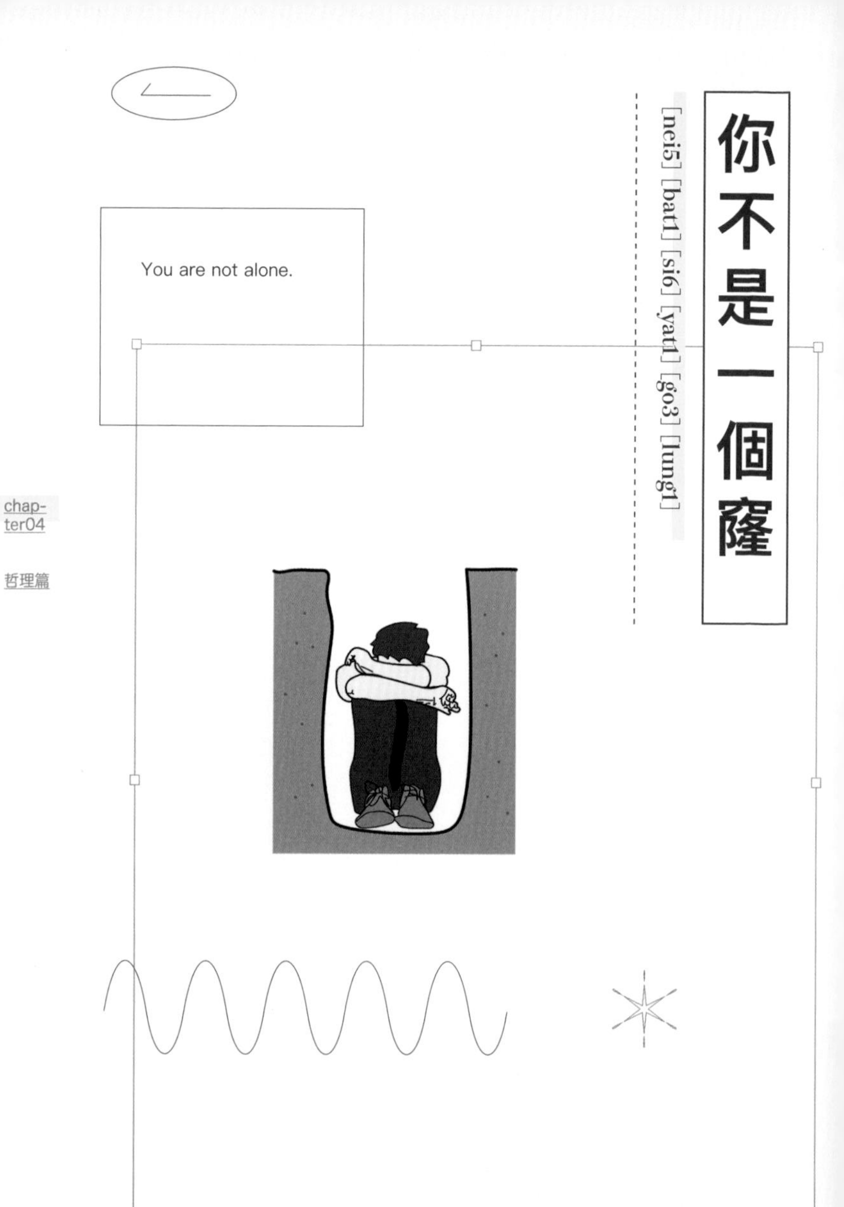

chap-
ter04

哲理篇

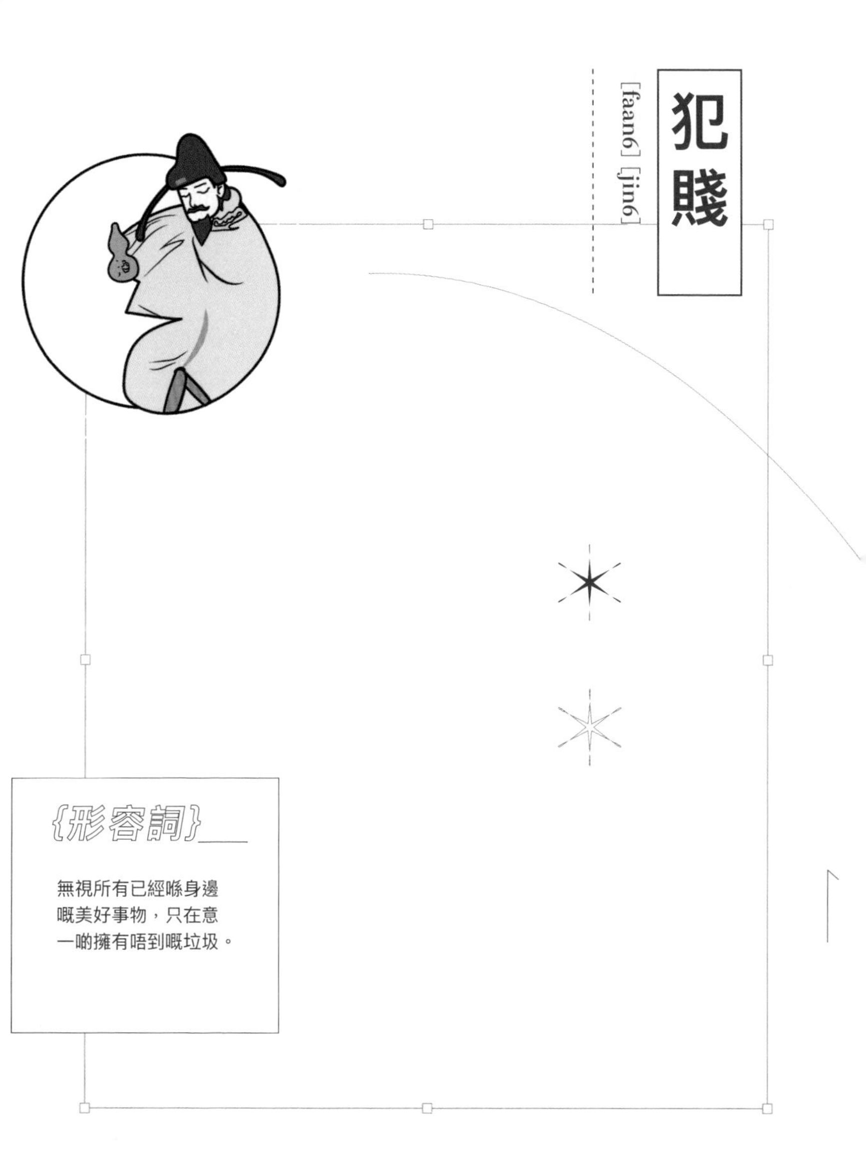

# 犯賤

[faan6] [jin6]

{形容詞}

無視所有已經喺身邊
嘅美好事物，只在意
一啲擁有唔到嘅垃圾。

# 明天能做的事

[ming4] [tin1] [nang4] [jou6] [dik1] [si6]

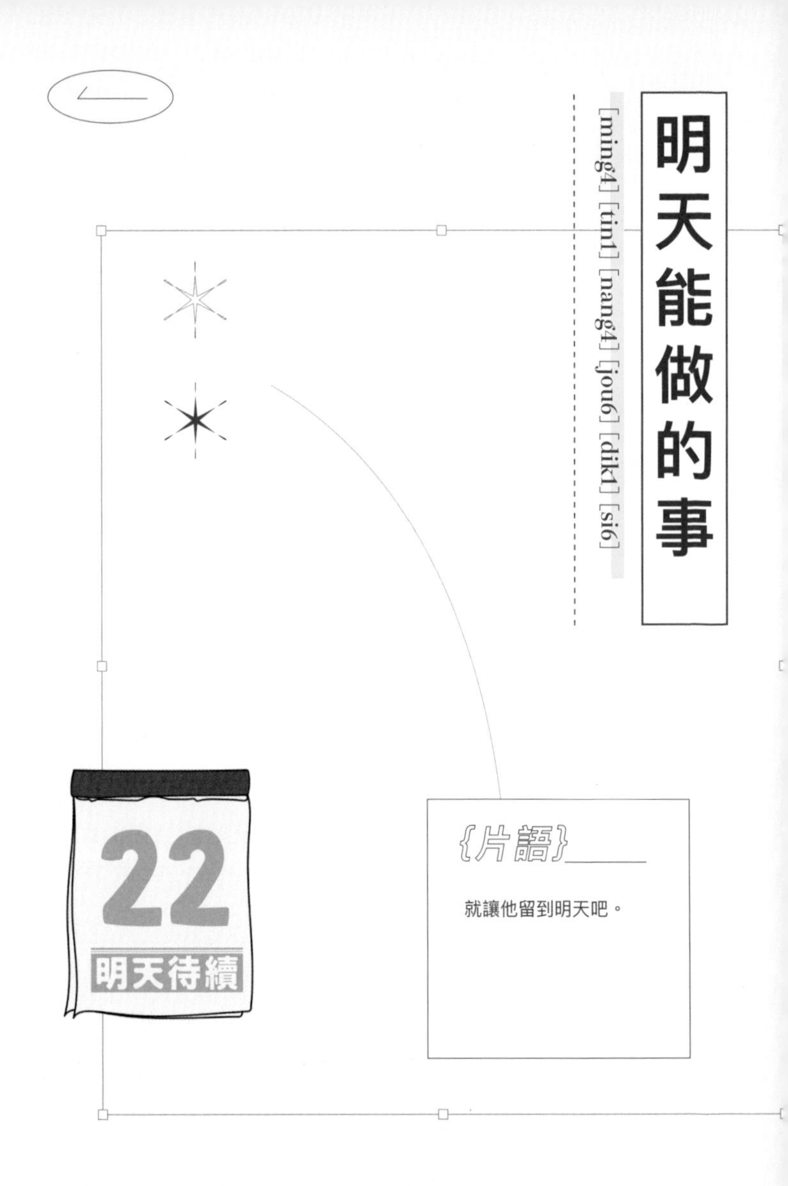


{片語}

就讓他留到明天吧。

# 強權打壓

[keung4] [kyun4] [da2] [aat3]

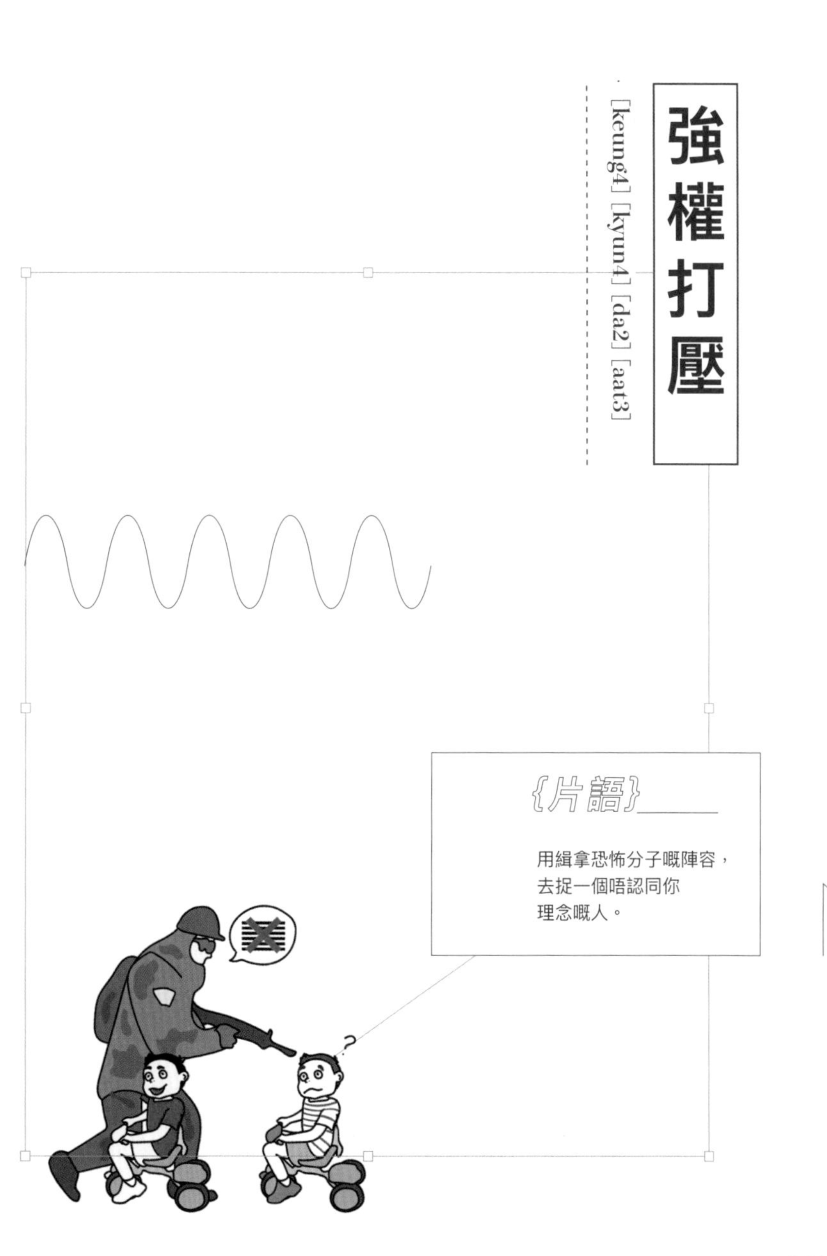

{片語}

用緝拿恐怖分子嘅陣容，
去捉一個唔認同你
理念嘅人。

# 噤若寒蟬

[gam3] [yeuk6] [hon4] [sim4]

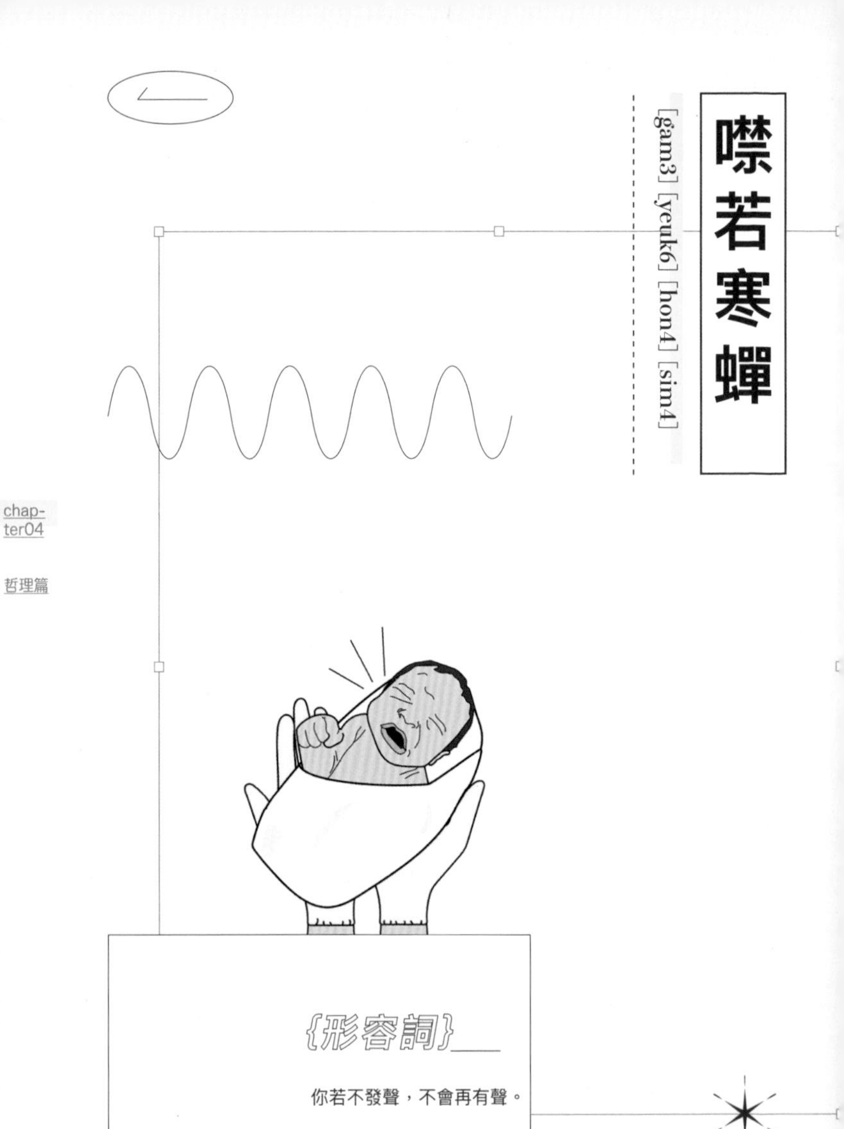

{形容詞}

你若不發聲，不會再有聲。

chap-
ter05

# 友情客串

柒

[chat6]

Johnee

Johnee_lau

{形容詞}

人生不如意事十常八九，
柒到盡頭便會開始 cute。

# 聽日交

[ting1] [yat6] [gaau1]

vawongsir

vawongsir

{片語}

你聽日再叫我
先考慮做份功課。

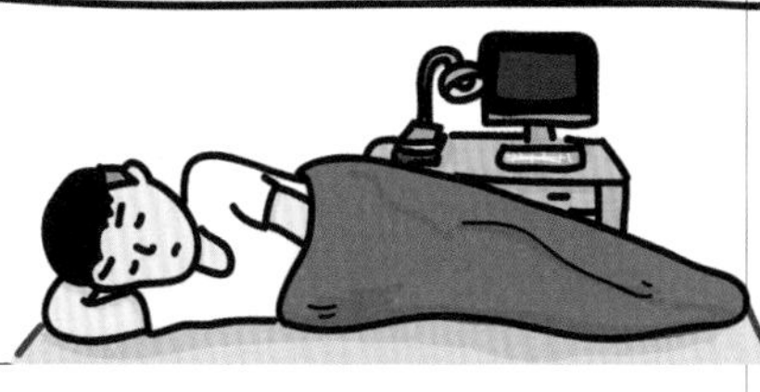

宅

[jaak6]

zaak naam

zaak6naam4

{形容詞}

有女朋友就係乖乖住家男，
冇女朋友
就只係一個摺毒頹。

穿搭
[chyun1] [daap3]
捌月插畫
ei8thmonths
{動詞}
同一款衫
要有五隻色嘅原因。

自由工作者
[ji6] [yau4] [gung1] [jok3] [je2]
dodolulu
dodolulu.design
chap-
ter05
友情
客串
{名詞}
永遠都係有自由冇工作。

# 屙屎

[o1] [si2]

{動詞}

屙完會望一望自己嘅產出。

初中
[cho1] [jung1]
艾瑪
imma.ward
{名詞}
人生中最多黑歷史嘅時段。
chap-
ter05
友情
客串

# 忘記

[mong4] [gei3]

皮忠

pei0923

{動詞}

想忘記但永遠都忘記唔到，
想要記住卻永遠唔記得。

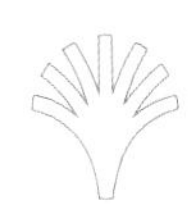

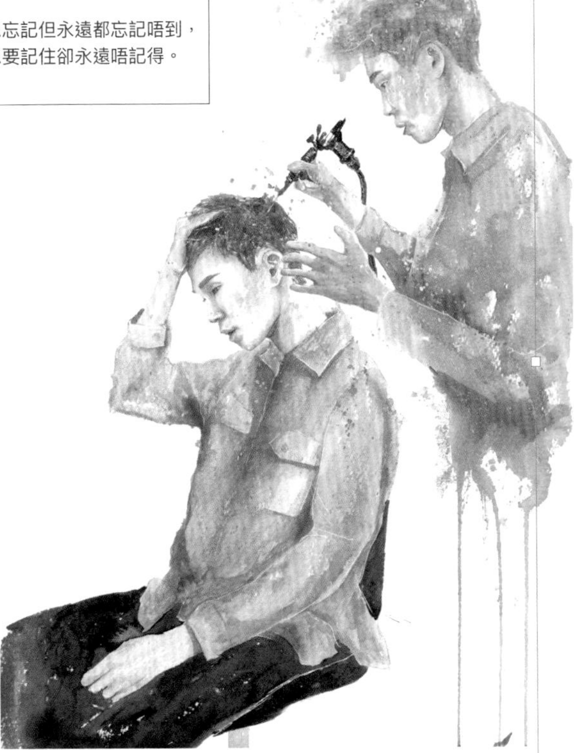

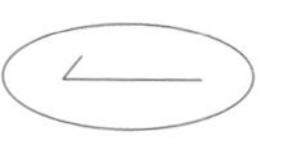

# 地心吸力

[dei6] [sam1] [kap1] [lik6]

腦力研究所

lorak_institute

{名詞}

你磅重時感到難受嘅原因。

# 為你好

[wai6] [nei5] [hou2]

輸入中

typing.jpg

為你好

{片語}

阿媽迫你做佢單方面
想你做嘅嘢。

# 懶

[laan5]

so 象

so.elephant

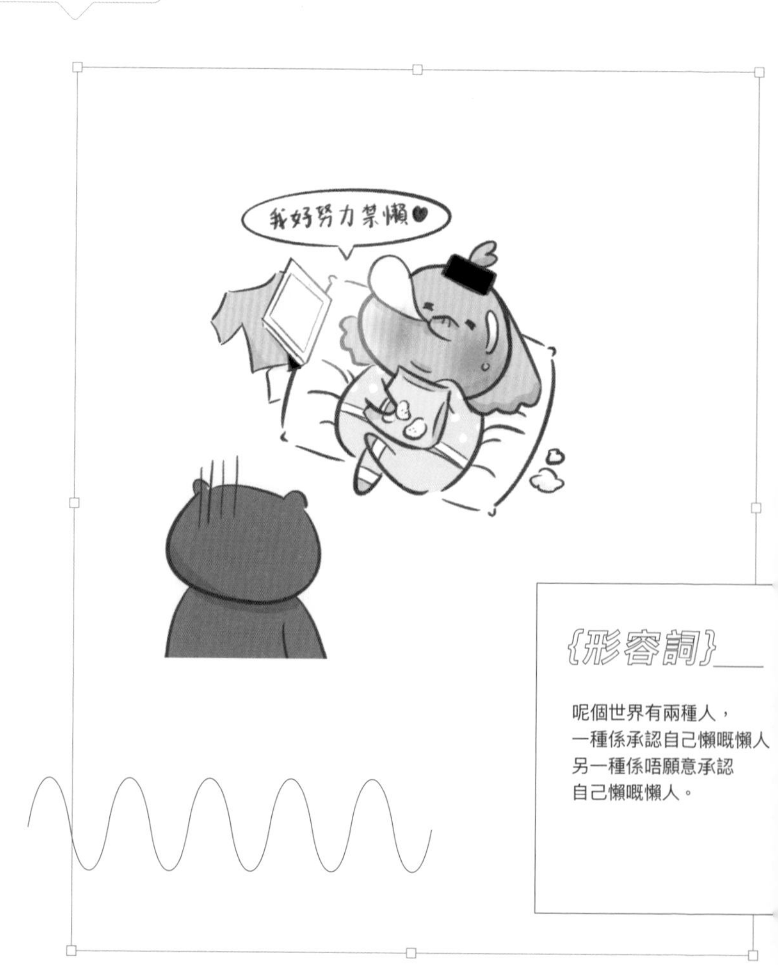


{形容詞}

呢個世界有兩種人，
一種係承認自己懶嘅懶人
另一種係唔願意承認
自己懶嘅懶人。

chap-
ter05

友情
客串

# 趙完鬆

[jiu6] [yun4] [sung1]

joeie_foodie

{動詞}

趙完「Zone」，
代表趙完即刻Friendzone。

直覺插畫室

euuu_daimonia

Why?

{副詞}

My duty.

chap-ter05

友情客串

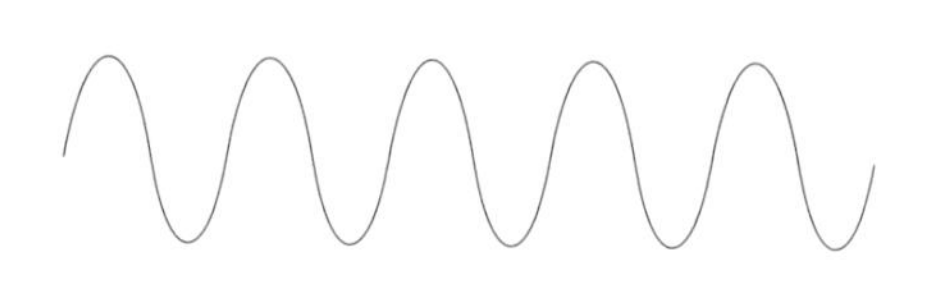
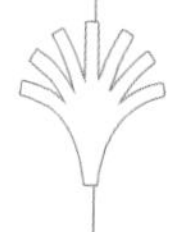

# 結語

有人會問，日常用於溝通的語言，愈是簡單直接，溝通肯定愈準確有效！為何非得在語言中潛藏一層，甚至兩三層意義呢？何況現在又不是在兩次大戰中進行軍事通訊，只是簡單的閑話家常，這種「暗號」式言語又是否多餘呢？

細心想想，這些「暗號」其實極具意義，它們所反映出人與人之間的一些連繫、一些共同性，和生活模式。你可以把這暗號看成是以自身為中點擴展的一個大圓，擴展至最外圍，暗號可能是國家的語言，中文、英文、日文、法文，這種語言的區分甚至奠定了你一生的思考的方式；收窄一點，暗號會是方言俚語，可能是由一個地區，一班人的共同經歷或共同日常所產生，例如「等到下年佛誕」就是一句十分港式形容無了期等待的短語，只有擁有作為「香港人」的生活經驗的我們才能明白這些暗號，當然《港字典》內大部分內容也是如此；在圓的最核心，暗號只存在於你和朋友、親人、情人之間，是原級團體之間的默契，就如「老好方等」的老地方只屬於摯友，或當一些笑話包含了只有圈子內才明白的梗，當朋友捧腹大笑之時，外人跟本完全笑不出來。

不論從遠至近，大至小，這些暗號切實地代表著不同的文化、不同的生活，這種充滿歸屬感的暗號和富有默契的解密過程，可能才是語言最珍貴和可愛的地方。

最後，讓我分享一個筆者和朋友之間的暗號。在打球或打遊戲時，我們會互相詢問大家「你是壞人嗎？」，回答「是壞人」的話，就代表希望多打一個回合，因為壞人嘛，他們通常有「下場」。你又想不想到一個屬於你和朋友的暗號呢？不妨在下一頁的字典框框裡寫下一個屬於你的暗號！

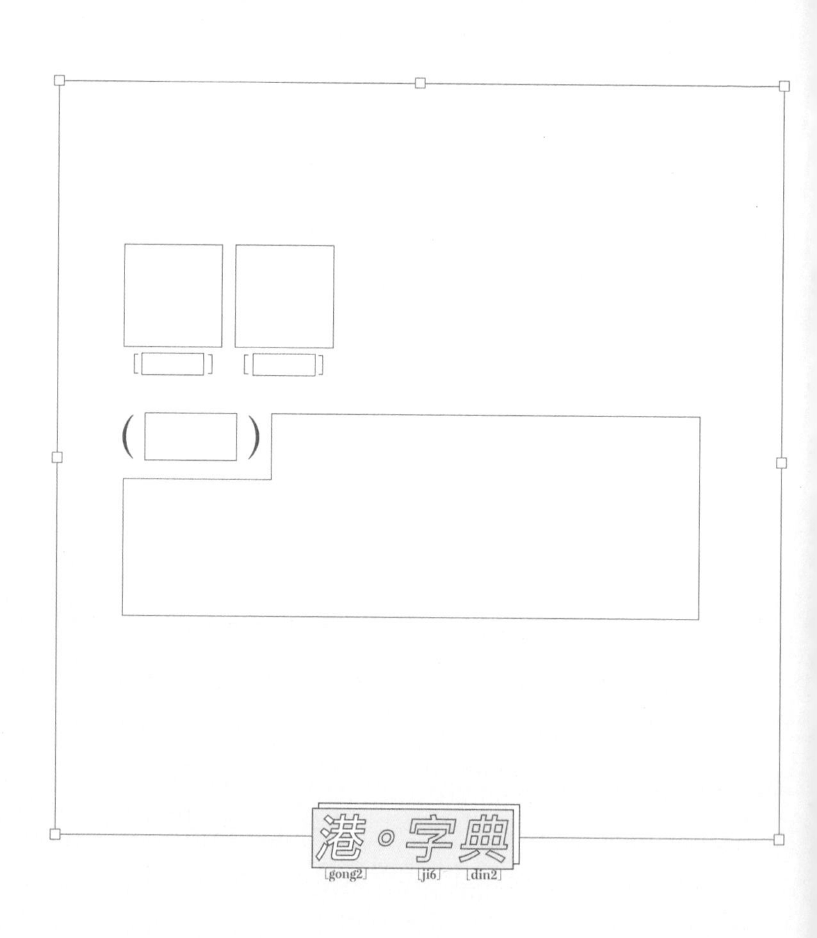
港 ◦ 字典
[gong2] [ji6] [din2]